NARA LEÃO
Nara — 1964

Hugo Sukman

NARA LEÃO
Nara — 1964

A Lúcia, minha mãe, que como Nara foi criada diante do mar de Copacabana e me ensinou, amorosa e amadoramente, o que Nara ensinou a todos, amorosa e profissionalmente: o amor pelo Brasil e por sua música.

A Marcos França, parceirinho cem por cento, que criou uma Nara comigo e a Aline Carrocino, que a viveu no palco.

A Tarsilla, que o ouviu no momento em que era escrito.

"[...] ir indo ao léu, vendo as coisas, conversando com as pessoas — e fazer um livro tão simples, tão bom, que até fosse melhor não fazer livro nenhum, apenas ir vivendo devagar a vida lenta dos mares do Brasil."
— Rubem Braga

"Naturalmente não víamos o tolo otimismo como o motor das atitudes de Nara Leão ou Carlos Lyra — ambos bossa-novistas de primeira hora e grandes como os grandes — quando eles, em parte influenciados pelo Cinema Novo e pelo Teatro de Arena, iniciaram o movimento de politização da moderna canção brasileira pós-bossa nova: era, por um lado, a força dos temas sociais que se impunha, por outro, a força da música popular brasileira, essa onda imensa que já vem de lá de trás e que não pode deixar de arrastar tudo [...]"
— Caetano Veloso

"E Zicartola continue sua escola com essa branquinha pachola que se chama Nara Leão."
— Vinicius de Moraes

SUMÁRIO

Sobre a coleção O LIVRO DO DISCO — 11

Capítulo 1. "Acabou nosso carnaval" — 13
Cartola e Nara — 17
Primeiro de abril — 30

Capítulo 2. "E no entanto é preciso cantar" — 35
Um ano antes… — 40
Nara despercebida — 51
Primeira faixa do lado A — 60

Capítulo 3. "Eu estou na cidade, eu estou na favela" — 65
"Eu tenho um violão para me acompanhar" — 75

Capítulo 4. "E salve o morro, cheio de glória" — 81

Capítulo 5. "Pois o amor é uma luta que se ganha" — 89
Festinhas ininterruptas — 92
"Salve, meu Pai, o teu filho nasceu" — 102
"O meu imenso espanto" — 106

Capítulo 6. "A sorrir, eu pretendo levar a vida" — 117

Capítulo 7. "Sempre só" — 127

Capítulo 8. "Chegou para lutar" — 143
"Se não tivesse o amor" — 159
"Vou por aí" — 166

Capítulo 9. "Mulher que fala muito" — 173

Capítulo 10. "Nanã" — 185

Epílogo. "Daqui do morro eu não saio, não" — 193
Coda — 214

Referências bibliográficas — 215

Sobre a coleção O LIVRO DO DISCO

A coleção O Livro do Disco foi lançada em 2014, pela Cobogó, para apresentar aos leitores reflexões musicais distintas sobre álbuns que foram, e são, essenciais na nossa formação cultural e, claro, afetiva. Inspirada inicialmente pela série norte-americana 33 1/3, da qual publicamos traduções fundamentais, O Livro do Disco hoje tem uma cara própria, oferecendo ao público livros originais sobre música brasileira que revelam a pluralidade e a riqueza da nossa produção.

A cada título lançado, o leitor é convidado a mergulhar na história de discos que quebraram barreiras, abriram caminhos e definiram paradigmas. A seleção de álbuns e artistas muitas vezes foge do cânone esperado. Isso se dá, sobretudo, devido à formação diversa dos autores: críticos, músicos, pesquisadores, produtores e jornalistas que abordam suas obras favoritas de maneira livre, cada um a seu modo — e com isso produzem um rico e vasto mosaico que nos mostra a genialidade e a inventividade encontradas na sonoridade e nas ideias de artistas do Brasil e do mundo.

O Livro do Disco é para os fãs de música, mas é também para quem deseja um contato mais aprofundado, porém acessível, com o contexto e os personagens centrais de trabalhos que marcaram a história da música. Em tempos de audição fragmentada e acesso à música via plataformas de *streaming*, (re)encontrar esses discos em sua totalidade é uma forma de escutar o muito que eles têm a dizer sobre o nosso tempo. Escolha seu Livro do Disco e se deixe embalar, faixa a faixa, por sons e histórias que moldaram — e seguem moldando — nossas vidas.

1. "Acabou nosso carnaval"

Foi em fevereiro, ao iniciar das chuvas, numa manhã de quinta-feira que Zé Kéti adentrou a redação do *Jornal do Brasil* totalmente ensopado. Deu sorte de pelo menos ter chegado, ainda que molhado, ao já vetusto edifício 110 da avenida Rio Branco. Porque lá fora, como o próprio jornal noticiaria no dia seguinte, "inundações, colisões e desabamentos foram os resultados principais das chuvas que caíram sobre a Guanabara...".

E deu sorte também porque o vibrante matutino acharia espaço, entre águas e outros motins urbanos, para noticiar a visita e seu nobre motivo: "José Flores de Jesus, o Zé Kéti, veio ontem ao *JORNAL DO BRASIL* convidar 'todo o Rio' para a inauguração do restaurante do Cartola, o fundador da Estação Primeira de Mangueira, que resolveu estabelecer-se na Rua da Carioca, 53, 'confiando nos quitutes da mulher, D. Zica.'"

No decorrer da curta nota — imprensada entre uma foto das chuvas também em São Paulo, o povo a pé na rua alagada devido ao colapso do transporte público, e um anúncio chamativo de "BRIZOLA — Hoje às 21,30 horas importante pronunciamento do deputado Leonel Brizola na Rádio Mayrink Veiga" — Zé Kéti também "anunciou que a etiqueta Elenco lançará, nos próximos dias, um long-play com a cantora Nara Leão cantando músicas de Nelson Cavaquinho, Cartola e dele próprio 'na melhor tradição do morro'. Entre os sambas estão 'Diz que fui por aí', 'Luz negra' e 'O sol nascerá'".

Nunca dá para saber, de véspera, o que faz de uma página qualquer de jornal, no caso a página 13 do *Jornal do Brasil* de 21 de fevereiro de 1964, um extraordinário documento histórico. Mas o fato é que aquela foi.

Nela está registrada a inauguração de fato do Zicartola, que embora tenha sido oficialmente criado em 5 de setembro de 1963 sob a razão social Refeição Caseira Ltda., só passaria a receber o público — "todo o Rio", era como se vê a ambição de seu *promoter* Zé Kéti — naquela sexta-feira, dia 21 de fevereiro, bem de acordo com a tradição do que se comece no Rio de Janeiro, seja o que for: sempre depois do Carnaval.

No caso, seria inaugurado depois de um Carnaval estranho, embora, ou até por isso mesmo, memorável. Pouco mais de uma semana depois que a Portela de Zé Kéti fora anunciada, sob vaias do público presente à apuração no Maracanãzinho, vencedora do Carnaval de 1964 no desfile principal da avenida Presidente Vargas, superando não apenas o então campeão Salgueiro com o clássico enredo negro "Chico Rei" e a Mangueira de Cartola. Mas o que estava provocando polêmica ainda maior era o Império Serrano de "Aquarela brasileira", já considerado por muitos o samba-enredo mais bonito de todos os tempos. O futuro clássico, de autoria de Silas de Oliveira, ganhou nota máxima em melodia, mas perdeu dois pontos em letra (que na época eram quesitos separados), o que suscitou previsíveis acusações de marmelada diante da óbvia grandeza de versos que se tornariam eternos, como "Brasília tem o seu destaque/ Na arte, na beleza e arquitetura/ Feitiço de garoa pela serra/ São Paulo engrandece a nossa terra".

Para completar a estranheza, o Império Serrano desfilou seu enredo, uma homenagem a Ary Barroso a partir de seu maior clássico, "Aquarela do Brasil", momentos depois de ser anunciada a morte do compositor homenageado. Entre a emoção e o desespero, os componentes cantaram e desfilaram o samba mais bonito de forma compreensivelmente desordenada, enquanto Ary Barroso era velado e seu caixão preparado para ser transportado em cortejo a pé de Copacabana ao Cemitério São João Batista, em Botafogo. Os jurados não relevaram e o Império ficou num modesto quarto lugar.

A Portela fez um desfile técnico sobre um enredo mais tradicional, "O segundo casamento de d. Pedro I", com iniciativas inovadoras, como a de um naipe de violinos da Orquestra do Theatro Municipal à frente da bateria, e outras populistas, como um bolo de 3 metros de altura, quase uma alegoria, mas cujos pedaços reais de farinha, fermento e açúcar eram distribuídos ao público.

O "restaurante do Cartola", contudo, anunciado com discrição pelo *Jornal do Brasil* e por toda a imprensa, bem na tradição do samba quando as escaramuças da apuração do Carnaval terminam, se tornaria um espaço ecumênico de todos os sambistas. Geraldo Babão, um dos autores de "Chico Rei" no Salgueiro, por exemplo, seria atração constante nas rodas de samba da casa, comandadas por Zé Kéti, que logo evoluiriam para pequenos grandiosos shows que marcariam época sob a direção mais ou menos informal dos jovens Sérgio Cabral, jornalista, e Hermínio Bello de Carvalho, letrista, poeta e produtor. Logo na segunda semana de funcionamento, o próprio *Jornal do Brasil* anunciaria como atração da noite de sexta-feira "Silas de Oliveira autor do lindo samba da Império Serrano, 'Aquarela brasileira'".

"Aqui se abraça o inimigo/ Como se fosse irmão", escreveria mais de dez anos depois Cartola no samba "Sala de recepção" referindo-se à Mangueira — mas bem que poderia ser ao Zicartola. "Inimigo" era, contudo, palavra forte para descrever o que Geraldo Babão, Silas de Oliveira, Cartola e Zé Kéti de fato eram: adversários na avenida, mas na verdade integrantes de coirmãs, como as próprias escolas de samba referiam-se fraternalmente às suas concorrentes.

Inimiga, mesmo, naquele momento parecia ser a Bossa Nova. O tal samba moderno, feito pela "turma" da Zona Sul, é que teria transformado, com seu sucesso até internacional, instantaneamente o samba — o velho samba forjado não mais de cinquenta anos antes no Estácio e que logo se espalharia pelos morros —, subúrbios e outros arrabaldes da cidade, em "samba tradicional" ou "samba de morro". E condenando seus mais "autênticos" representantes ao ostracismo, a não ser, obviamente, nos dias de Carnaval.

Por isso também a página 13 do *JB* de 21 de fevereiro de 1964 pode ser considerada histórica. Na mesma notícia, quase que escondida ali entre fatos tão mais aparentemente importantes, cruzavam-se duas figuras improváveis, de mundos até então distintos e quase incomunicáveis. A chamada musa da Bossa Nova, "inimiga" do samba, que a notícia não deixava dúvidas, resolvera cantar músicas "na melhor tradição do morro", e o "fundador da Estação Primeira de Mangueira", que finalmente resolvera se estabelecer na rua da Carioca, 53, como dono de restaurante. Antes de ser uma notícia sobre a conciliação desses dois mundos, o que Zé Kéti informava a "todo o Rio" é que eles ao menos haviam se cruzado.

Cartola e Nara

A não ser talvez pelo refinamento de gestos, a calma ao falar e a suavidade ao cantar — dois jeitos inexplicavelmente aristocráticos — não houvesse pessoas mais diferentes em suas histórias até àquela página de jornal do que Angenor de Oliveira e Nara Lofego Leão. Mesmo nas páginas, aliás, até mais ou menos aquele fevereiro de 1964, eles frequentavam-nas distintas: Cartola em colunas como "O samba cá entre nós", assinada por Mauro Ivan e Juvenal Portella; Nara no então nascente Caderno B, ainda indeciso entre se privilegiava seu estilo de vestir e seu corte de cabelo ou seu jeito de cantar.

Depois da notícia histórica dada por Zé Kéti algo começava a mudar. Nara, por exemplo, passou a frequentar "O samba cá entre nós". No mesmo dia em que anunciava o sucesso do Zicartola logo na sua primeira semana de atividade e uma roda com os residentes Cartola, Zé Kéti, Nelson Cavaquinho e o convidado especial Silas de Oliveira — "Para os que gostam realmente de um feijão gostoso e de samba de verdade, vale o convite: amanhã no Zicartola. Mas é bom chegar cedo porque a frequência é muito grande e lugar para sentar não sobra." A coluna de samba comentava discretamente em meio a notas variadas: "De muito boa qualidade o LP gravado por Nara Leão com música de Nelson Cavaquinho, Zé Kéti, Cartola, Carlinhos Lira [sic] e outros."

Já na coluna de moda "Passarela", assinada por Gilda Chataignier, cuja matéria principal era "Três variações para uma saia branca" com uma modelo desenhada nitidamente inspirada em Nara e em seu corte chanel personalíssimo, também duas notas chamavam a atenção em meio às borbulhantes notícias da seção "Zunzunzum". "Uma das boas e gostosas atrações do restaurante Zicartola — de D. Zica e Cartola de Mangueira, lá na rua da Carioca — é a comida baiana das sextas-feiras. Logo depois começa um show improvisado com samba rasgado e batucada." Seguida, como que por acaso, de: "Odete Lara ofereceu domingo um jantar a Brigitte Bardot, bastante íntimo. BB encantou a todos com sua beleza, simplicidade e inteligência e logo tirou os sapatos. Além de Bob Zaguri, lá estava a turma da Elenco, com Nara Leão, Tom Jobim e Guilherme Araújo. As músicas ao violão se prolongaram até de madrugada."

A falta de jeito da coluna de moda para falar de uma nova casa de samba — "samba rasgado e batucada" — não deve ser atribuída exclusivamente à distância entre esses dois mundos que, no entanto, era imensa. Mesmo fisicamente. O Túnel Santa Bárbara, que liga Laranjeiras, na Zona Sul, à velha região da Praça Onze onde o samba floresceu, havia sido inaugurado muito recentemente, no mesmo ano de 1963 em que Nara Leão gravou seu primeiro disco e o Zicartola foi imaginado. O Túnel Rebouças, em obras que incluíam misteriosas explosões desde abril de 1962, só seria inaugurado em 1967, ligando finalmente de forma direta a Lagoa ao Rio Comprido, ou seja, literalmente furando a montanha que separava a Zona Sul da Zona Norte, as rodinhas de violão "até de madrugada" das rodas de "samba rasgado e batucada". As distâncias, física e espiritual, eram imensas.

Como obras desse vulto não são decididas de uma hora para outra, é possível notar um *Zeitgeist* da cidade do Rio de Janeiro, um espírito do tempo, talvez espelhando o país, mas certamente traduzido em sua música popular. E simbolizado num instrumento, o violão, outro elemento que unia Cartola e Nara.

Esse tal *Zeitgeist* do Rio do início dos anos 1960 deve-se em parte ao *status* de capital do Brasil, que a cidade gozava desde 1763 e havia perdido em 1960, com a inauguração de Brasília. Ao ter que repensar sua vocação, não mais de corte, o novo estado da Guanabara parecia imbuído do desejo de finalmente unificar suas duas partes, a que se abriu da velha cidade seguindo a linha das praias em direção ao sul, apelidada desde o início do século XX de "Maravilhosa"; e a que seguiu a linha do trem para o norte, povoando os subúrbios — e entre eles, mais identificado com a Zona Norte pela população predominantemente negra e pobre, as favelas nos morros espalhados por toda a cidade.

Isso estava, no entanto, se traduzindo em movimentos contraditórios naquele momento, sobretudo pelo caráter ambíguo do primeiro governo eleito da Guanabara, o de Carlos Lacerda. Intelectual refinado — que traduzia Shakespeare e cultivava rosas —, mas político golpista e de poucos escrúpulos, Lacerda promovia a integração da cidade pela via da circulação, com a construção dos túneis, ou a transformação do recém-construído Aterro do Flamengo, sobre a baía de Guanabara, num imenso parque popular com direito a jardins de Burle Marx, contrariando interesses imobiliários que queriam aquele espaço apinhado de prédios residenciais. Mas ao mesmo tempo "limpava" a Zona Sul de favelas, removidas muitas vezes de forma violenta, liberando seus espaços nobres justamente para o mercado imobiliário e deslocando sua população para lugares afastados e pouco assistidos, as futuras famosas favelas horizontais, como a Cidade de Deus, na então distante Baixada de Jacarepaguá.

Ao mesmo tempo que criava o Museu da Imagem e do Som como um dos primeiros do mundo a usar base audiovisual para cultivar a memória e celebrar a cultura — e mostrar que a vocação do Rio, mesmo a econômica, era sua produção cultural —, Lacerda conspirava para a ruptura do sistema democrático que, desde 1946, permitiu a ebulição cultural no país que chegava ao auge naquele início de anos 1960. E que tinha, no encontro de Cartola e Nara, talvez um de seus resultados mais sutis.

No dia em que Zé Kéti anunciava a inauguração do Zicartola e o lançamento do disco de Nara dali a alguns dias, Lacerda não estava na Guanabara para cuidar dos estragos da chuva ou mesmo para comparecer à inauguração. Fora a São Paulo proferir uma palestra, na qual refutou a acusação de golpista, declarando que "o golpe no país está sendo dado todos os dias, porque a Constituição é passada para trás por vontade do presidente da República e de um grupo de assessores comunistas". Dizia que o presidente João Goulart estaria por trás de "um processo de guerra revolucionária, em que as reformas em vez de serem feitas são utilizadas para dividir o país e atirar os brasileiros uns contra os outros".

Um golpe estava em curso pelo menos desde 1961, quando o presidente Jânio Quadros renunciou e setores militares e políticos de direita não admitiam a posse de seu vice, João Goulart, o Jango, herdeiro político de Getúlio Vargas e líder do movimento trabalhista. Liderada por Leonel Brizola — aquele deputado que na página histórica do *Jornal do Brasil* de 21 de fevereiro faria importante pronunciamento à nação — a partir de sua base no Rio Grande do Sul, a Cadeia da Legalidade conseguiu através do rádio e da mobilização popular conter o golpe naquele momento e garantir a posse de Jango. Militares e políticos como Lacerda nunca se conformaram e desde então conspiravam contra Jango quase que abertamente.

No campo muito específico das artes, e mais especificamente o da música, o trauma do quase golpe em 1961 teria consequências profundas. Sobretudo num grupo de artistas ligados ao Teatro de Arena de São Paulo que, já insatisfeitos com os limites do teatro "de classe média" que faziam, em temporada carioca de duas de suas peças mais importantes, *Eles não usam black-tie*, de Gianfrancesco Guarnieri, e *Chapetuba F.C.*, de Oduvaldo Vianna Filho, o Vianinha, resolvem romper com aquele modelo e imaginar uma forma nova de fazer cultura popular.

Esse núcleo do Teatro de Arena liderado por Vianinha, do qual fazia parte o compositor carioca Carlos Lyra, então diretor musical do grupo, em contato com estudantes e intelectuais cariocas fundou, com esse espírito, o Centro Popular de Cultura (CPC), que ficaria abrigado na União Nacional dos Estudantes (UNE). O objetivo do grupo era fazer uma arte que se comunicasse diretamente com "o povo", que fosse política, brasileira e popular. Já a partir de dezembro de 61, o CPC passou a funcionar em todas as áreas da produção artística, liderada por figuras como o próprio Vianinha no teatro, o poeta Ferreira Gullar na literatura, o cineasta Leon Hirszman na área de cinema e Carlos Lyra, como diretor musical.

Levar arte ao povo — daí o hábito de apresentar peças em locais pouco ortodoxos como carrocerias de caminhão ou salões de igreja — politizar a arte (e o povo), conscientizar eram os grandes objetivos do CPC, que para isso passou a usar linguagens artísticas ao menos pretensamente populares, como humor. Carlos Lyra seria figura central nesse movimento. Foi o autor, por exemplo, da canção cepecista típica, a suíte "Canção do subdesenvolvido", em parceria com o dramaturgo Chico de Assis, na qual recontava a história econômica do Brasil de forma bem-humorada e ressaltando os prejuízos do país a partir da exploração imperialista.

Como se já intuísse a contradição básica do CPC, Lyra também teve participação fundamental na escolha do nome do grupo, batizado em princípio por Vianinha de Centro de Cultura Popular. O bossa-novismo falou mais forte e o compositor argumentou, a partir da ideia marxista da divisão da sociedade em classes, de que eles todos ali reunidos não faziam "cultura popular", eram artistas de classe média. Inverteu-se apropriadamente as duas últimas palavras do nome, e assim nasceria o muito mais sonoro Centro Popular de Cultura, CPC (no lugar da quase soviética sigla CCP).

Ligados ao velho Partido Comunista Brasileiro (PCB), os artistas do CPC tinham uma diretriz partidária básica: encontrar e desenvolver uma arte brasileira e popular. "Naquele tempo, pelo menos na minha experiência, se falava mais em Brasil e cultura brasileira do que em Lênin no Partido Comunista", testemunharia Carlos Lyra.

Em relação à música popular, Carlos Lyra recebeu uma missão específica: encontrar a música operária brasileira. E a coisa mais parecida com música operária pareceu-lhe, imediatamente, o samba tradicional, ou, como era chamado, "samba de morro".

Até então, pela lógica tão binária da época, Carlinhos Lyra era quase que o inimigo arquetípico do samba tradicional. Um dos fundadores da Bossa Nova, era conhecido por suas belas melodias, suas harmonias elaboradas e os temas românticos das letras de suas canções. Até aquele momento, sobretudo na voz de João Gilberto, fizera intenso sucesso com canções como "Lobo bobo", levíssima crônica de costumes da Zona Sul, "Se é tarde me perdoa", "Saudade fez em samba", todas com letra de seu principal parceiro até ali, Ronaldo Bôscoli. E sambas bossa-nova com Vinicius de Moraes, com quem começava a compor, coisas como "Você e eu" e "Coisa mais linda".

Mas Carlos Lyra não era apenas um bossa-nova típico — ele estava profundamente ligado ao próprio início do movimento musical que redundaria na Bossa Nova. Embora pouco mais velho — já tinha uma composição sua, "Menina", gravada pela também muito jovem Sylvia Telles em 1955 e já atuava como músico profissional desde 1956, tocando violão elétrico no grupo do pianista Bené Nunes —, estava no núcleo inicial de meninos e meninas ligados em música que passariam a se reunir na casa de Nara Leão, a partir de 1957.

No ano anterior, ele conhecera o também menino Roberto Menescal, quando passaram a estudar juntos no Colégio Mallet Soares, em Copacabana, e descobriram-se interessados em música e violão modernos. Abriram uma academia para dar aulas de violão e tiveram como uma das primeiras alunas justamente Nara Leão.

Nascida em Vitória, no Espírito Santo, segunda filha da professora Altina Lofego e do advogado Jairo Leão, Nara talvez seja a tímida mais abusada da história. Ainda menina, já radicada no Rio de Janeiro, onde o pai passou a atuar como um bem-sucedido advogado e assentou a família no elegante Palácio Champs Élysées, endereço mais nobre da cidade, a avenida Atlântica em frente ao Posto 4, Nara ganhou um violão e passou a tomar aulas com o famoso Patrício Teixeira, compositor e violonista pioneiro da música brasileira, que havia atuado com Pixinguinha e Os Oito Batutas desde a década de 1920. Menescal, seu amigo de praia, pegou carona nas aulas e se tornaria, logo, um mestre no instrumento, Nara não ficava muito atrás. "Eu tocava muito bem. Todo mundo achava incrível como uma mulher podia tocar um violão de homem. Era extraordinário", diria, irônica, tempos depois.

Mas o fato é que a música dominou a vida dos dois amigos, que chegaram a namorar de leve na época, apesar da diferença de idade de quase cinco anos, praticamente intransponível quando ela estava com 14, o que fez com que a coisa evoluísse para uma amizade e uma parceria musical eternas. Valendo-se da discoteca do pai, por exemplo, Nara apresentou o jazz a Menescal, que nunca havia ouvido falar na coisa. Quando Menescal conheceu Carlos Lyra na escola, e uma porção de outros jovens músicos, como os pianistas Luiz Carlos Vinhas e Luiz Eça e os violonistas Normando Santos e Chico Feitosa, Nara passou a recebê-los todos no amplo salão de sua casa para saraus sem hora para acabar — com a tácita permissão do pai, um liberal que não só permitia a festa, como também educou Nara e sua irmã mais velha, Danuza Leão, para que elas fossem mulheres independentes, sobretudo de homem, que tivessem profissão e autonomia. A exuberante Danuza logo cedo se tornaria modelo internacional — e casaria com o jornalista Samuel Wainer, bem mais velho, charmoso dono do jornal progressista *Última Hora*, o único a dar apoio político a Jango.

Nara, não menos ousada, além de reunir em torno dela os jovens músicos emergentes de Copacabana, ela própria logo largaria a escola — com anuência do pai, que achava mais importante ter uma profissão do que completar a escola — para dar aulas de violão.

A coisa começou a ficar séria nas reuniões na casa de Nara quando, alertado por Menescal de que algo importante começava a acontecer ali, o jornalista Ronaldo Bôscoli certa noite bateu na porta. Nara, a quem não conhecia, atendeu à porta no exato momento em que mordia uma maçã. Diante daquela imagem de cinema, Bôscoli se apaixonou por Nara. E pela música que as moças e os rapazes estavam fazendo ali. Passou a divulgar o trabalho deles não apenas em matérias na revista

Manchete, como a escrever letras para melodias de Chico Feitosa e, principalmente, Carlos Lyra.

Enquanto Bôscoli e Nara começavam a namorar, as reuniões iam ficando mais sérias, atraindo já artistas profissionais, como Sérgio Ricardo, e até os ídolos deles todos, como João Gilberto, Vinicius de Moraes e Tom Jobim. Aos poucos, as reuniões na casa de Nara viraram, senão a origem, o que seria de fato um exagero, mas um centro catalisador e deflagrador da Bossa Nova. E aquele grupo passaria a ser conhecido como a turma da Bossa Nova.

Mas Nara, que já tocava bem — além de Patrício, estudaria violão clássico com Solon Ayala — e cantava, nem ela própria se via necessariamente como artista da música. Primeiro porque a turma, formada basicamente por homens, não a via como cantora. "Eles me esculhambavam, diziam que eu desafinava, que eu não sabia cantar. Era um horror", diria Nara descrevendo as reuniões na sua casa, nas quais afirmava que só conseguia cantar, apesar da timidez, porque era a enciclopédia musical da turma, sabia todas as letras e harmonias.

Outros, contudo, a viam com mais interesse. Chegou a fazer programas na TV Tupi com Sérgio Ricardo, *Música e romance*, e a participar, na TV Excelsior, de um programa de Tom Jobim, dirigido por Aloysio de Oliveira, *O bom Tom*, no qual tocava violão e cantava com a franja praticamente cobrindo o rosto, causando grande celeuma por sua postura e seu jeito, mais tímido que arrogante, de cantar.

Isso aconteceu porque a partir de 1959, já namorando firme Ronaldo Bôscoli, quase que contra sua vontade Nara cantou em público pela primeira vez no *Segundo Comando da operação Bossa Nova*, na Escola Naval, o segundo show da turma que costumava se reunir em sua casa. As reuniões ficaram conhecidas na imprensa e os convites para cantar começaram a chegar, motivados pelo sucesso que as primeiras canções do grupo já faziam na voz de João Gilberto.

Em 61, contudo, mesmo no auge do sucesso, justamente quando Jânio renuncia e Carlinhos Lyra, àquela altura o mais bem-sucedido dos compositores do grupo, parte para fundar o CPC, tem início o fim da turma — porque se divide. Uma série de fatos, coincidências ou não, contribuem para isso. O fato de o "alienado" Ronaldo Bôscoli e o "comunista" Carlos Lyra não se entenderem politicamente se torna um problema, mas não o maior deles. Como a promessa da gravadora Odeon — que havia lançado com sucesso o disco de João Gilberto *Chega de saudade*, marco inaugural oficial da Bossa Nova — de gravar discos com os artistas da turma não acontecia nunca, Carlos Lyra foi sondado pela gravadora concorrente Philips para levar a bossa nova para lá. E aceitou.

Separados na política e na música, Carlos Lyra e Ronaldo Bôscoli romperam a parceria e desfizeram até música pronta. "Foi uma pena", testemunhou Nara.

> Porque Carlinhos tinha milhões de músicas com o Ronaldo, lindíssimas, e eles fizeram a cisão, letra e música. "Fica com as suas letras que eu fico com as minhas músicas." Então sumiu uma quantidade imensa de músicas muito bonitas, em que Carlinhos colocou outras letras com Nelson Lins de Barros. Ficaram bonitas também, mas não tinha sentido aquilo. E o Ronaldo, sei lá o que fez com aquelas letras, muitas ficaram sem música. Essa briga foi meio loucura, birutice, só pode. Eu acho que perturbou muito.

Mas o que perturbaria decisivamente a turma seria a briga, ou melhor, a separação definitiva do casal Nara Leão e Ronaldo Bôscoli, já noivos àquela altura. É que Bôscoli viajou para a Argentina com a finalidade de dirigir shows da cantora Maysa, que já fazia grande sucesso na época e queria se aproximar da moçadinha da bossa nova, pouca coisa mais nova que ela. Não teve jeito, mulherengo que era, deixou-se seduzir por ela e tiveram um tórrido caso durante a viagem. Na volta, sem avisar a ele, Maysa convocou a imprensa e anunciou, no aeroporto, que estava noiva de Ronaldo Bôscoli.

Nara soube pela imprensa. E mesmo com a insistência do ex-noivo, que até ficara um tempo com Maysa, para voltar, ela nunca o perdoaria. Foi tal o trauma nos dois que Nara somente gravaria uma canção de Ronaldo Bôscoli — muitas das quais composta para ela — dezesseis anos depois, uma canção dele com Menescal chamada ironicamente de "Flashback".

As reuniões na sala da avenida Atlântica não acabariam, pelo contrário, até se intensificariam nos anos seguintes a 61 — só que as pessoas seriam outras. O tempo romântico da Bossa Nova tinha, de certa forma, acabado para turma e, é claro, para Nara.

Rompida com Ronaldo Bôscoli e inquieta existencialmente, Nara acaba pendendo para o lado de Carlos Lyra, com quem vai fazer seus primeiros trabalhos profissionais e, mais importante que isso, vai dividir com ela suas pesquisas sobre a música operária brasileira, ou sua descoberta do "samba de morro". O que causaria grande impacto em Nara, criada no berço de ouro do jazz da discoteca do pai e da bossa nova que via nascer à sua volta, e para quem "Noel Rosa era uma coisa vaga, distante, muito velha...".

No mesmo ano de 1957 em que haviam começado as reuniões na casa de Nara em Copacabana, não muito distante dali, em Ipanema, o jornalista Sérgio Porto entrava num botequim para tomar um café, em pé mesmo. Quando vê, encostado no balcão, um moço negro, magro, com nariz estranho, vestindo um macacão molhado: será que era ele, o mitológico compositor de quem seu tio, o crítico musical Lucio Rangel, não parava de falar quando aparecia um sambista novo: "bom mesmo era o Cartola", assim no passado, como se o autor de "Divina dama", sucesso na voz de Francisco Alves mais de vinte anos antes, tivesse morrido. Pois Sérgio aborda o rapaz, que confirma: sim, era o Cartola, o fundador da Estação Primeira de Mangueira, principal escola de samba da cidade, a quem deu as cores, verde e rosa, e a fama de celeiro de poetas populares.

Há alguns anos longe do morro de Mangueira, Cartola trabalhava na garagem de um edifício perto dali, o Oceânica, na rua Visconde de Pirajá, onde lavava os carros. E morava no Caju. Ele se afastara, do morro e do samba, depois de uma série de infelicidades: desentendera-se com a direção da escola; contraiu meningite, ficando até em coma e depois impedido de trabalhar no seu tradicional serviço de pedreiro; e sua primeira mulher, Deolinda, havia morrido, o que o fez definitivamente sair de Mangueira.

O encontro providencial com Sérgio Porto fez o veterano compositor, já à beira dos 50 anos, praticamente renascer. O jornalista iniciou uma conspiração de amigos para que, passada a mocidade, Cartola e sua nova mulher, a talentosa cozinheira Zica, tivessem uma vida melhor — e que, principalmente, Cartola voltasse à música.

Já em 18 de janeiro de 1958, quando a Bossa Nova começava a dar os primeiros passos, o *Jornal do Brasil* anunciava em sua primeira página, com uma série de três retratos do reencontrado compositor, que Cartola não só voltara, como também vinha com um samba novo. Sob o título "Cartola tem um samba que pode ser o maior do ano", o jornal contava a história de sua volta e dava, com o estardalhaço merecido, sua nova composição, aliás, já típica da nova fase de seu trabalho, que começava ali: "Todo tempo que eu viver/ Só me fascina você/ Mangueira/ Guerreei na juventude/ Fiz por você o que pude/ Mangueira."

O jornal deixava claro. Samba há, só falta um cantor para ele. Mas não deu resultado. Com toda a força dos amigos e da imprensa amiga, ninguém gravou "Fiz por você o que pude", o novo samba de Cartola em 1958 — que, sim, se tornaria, como merecido, um clássico da música brasileira, mas só quando fosse gravado, dez anos depois, por Elizeth Cardoso.

Os amigos conseguiriam, isso sim, trabalhos melhores para Cartola. Ele acabaria sendo uma espécie de zelador da Associação das Escolas de Samba, que funcionava na rua dos Andradas, no Centro da cidade, onde passou a receber amigos, parceiros de música, e voltaria a compor. Mas com o estouro da bossa nova ninguém parecia se interessar mais por seus sambas de versos elaborados, bonitas melodias, de pendor lírico. Quase ninguém, entre sua volta à ativa em 1957 e 1963, se interessou em gravar um samba seu — apenas uma gravação obscura, de Ary Cordovil para "Festa da Penha", se daria nesse ínterim, em 61, mas tão obscura que a pequena gravadora, a Vila, faliu e a música nem teve tempo de circular direito.

Tanto que quando Zé Kéti anuncia que Nara Leão gravaria um samba de Cartola, simbolicamente chamado "O sol nascerá", a notícia causou grande impacto. Quase do mesmo tamanho da outra notícia que Zé Kéti também trazia, de que Cartola e Zica abririam seu restaurante, um ponto de encontro da rapaziada do samba.

Quando soube da notícia, o mesmo *Jornal do Brasil* foi entrevistar Cartola, haviam se passado cinco anos de seu encontro com Sérgio Porto. E Cartola, ainda melancólico, disse que faltava muito para se sentir realizado. "Pois na mocidade não pensava em quase nada, fazendo toda sorte de loucuras, e na velhice é duro recuperar o tempo perdido." Cartola dizia isso sem saber que aquele samba a ser gravado por Nara, e que versava exatamente sobre o tema da entrevista, seria finalmente o início de sua realização pessoal.

A sorrir
Eu pretendo levar a vida
Pois, chorando,
Eu vi a mocidade perdida

Cartola tinha 55 anos quando escreveu esses versos. Nara, 21 quando cantou. A vida deles não seria mais a mesma dali em diante. Nem a da música brasileira.

Primeiro de abril

Das três notícias históricas que a página 13 do *Jornal do Brasil* de 21 de fevereiro de 1964 daria, duas se realizariam logo. O Zicartola de fato seria aberto naquela noite mesmo. Seria também, meio até que sem querer, a primeira casa de samba do Rio de Janeiro, e por conseguinte do mundo, naquele formato tradicional de casa de shows, de boate, aonde se vai para beber, comer e ouvir música. A impressão que se tem é de que "todo o Rio" estava lá, como previu Zé Kéti, e as colunas de samba dos jornais passariam semanas falando da novidade.

Nara Leão lançaria seu primeiro disco de fato dali a alguns dias, na noite de 27 de fevereiro, em uma festa concorridíssima na boate Zum-Zum, em Copacabana, ao lado do primeiro disco de ninguém menos do que seu ídolo, já talvez o maior compositor brasileiro, Antônio Carlos Jobim. *Tout Rio* compareceu e as colunas sociais tiveram assunto para os dias seguintes.

Era a segunda leva, ou segundo suplemento, como se dizia, de discos da Elenco, gravadora criada pelo produtor, diretor e letrista Aloysio de Oliveira para ser o selo oficial da nova música brasileira a partir da Bossa Nova. E, como a primeira que foi marcada pela estreia em disco do poeta Vinicius de Moraes e da atriz Odete Lara cantando, essa segunda leva também teria como impacto a estreia de dois artistas já bem conhecidos. Em uma entrevista conjunta para uma nova série do Caderno B, "Duelo", na qual as mesmas perguntas eram feitas para dois entrevistados afins, Nara e Tom definem seus primeiros discos: "Meu disco tem músicas de Baden Powell, Vinicius de Moraes, Zé Kéti, Cartola e outros. Nele, procuro sair do que se chama bossa nova. Há uma espécie de saudosismo, com temas populares e históricos. Pretendia fazer algo diferente e acho que consegui", disse Nara.

"O disco foi gravado em Nova York, com músicos formidáveis. O baterista é brasileiro, como não poderia deixar de ser. Uma das músicas de sucesso é 'Garota de Ipanema', que se tornou até jingle nos Estados Unidos", definiu Tom.

Em momentos totalmente distintos em suas carreiras, Tom lançava no Brasil seu primeiro LP de fato como artista, *The composer of Desafinado plays*, fruto de sua primeira ida a Nova York em novembro de 1962, para o famoso show da Bossa Nova no Carnegie Hall, que lançaria a nova música brasileira para o mundo. Produzido por Creed Taylor, da gravadora Verve, já um dos principais da história do jazz, o disco foi gravado nos dias 9 e 10 de maio de 63 e trazia 12 de suas principais músicas compostas até então, todas clássicos da Bossa Nova que se tornariam clássicos da música mundial. Quando lançado nos Estados Unidos, o crítico Pete Welding, da revista *Down Beat*, não apenas deu cinco estrelas, a nota máxima, como escreveu: "Se o movimento da bossa nova tivesse produzido somente esse disco já estaria plenamente justificado", em frase que era devidamente reproduzida na edição brasileira, rebatizada no Brasil apenas com o nome do compositor, *Antônio Carlos Jobim* (o que no Brasil já era uma garantia, enquanto nos Estados Unidos, ainda desconhecido, apelou-se para "o compositor de 'Desafinado'").

Nele, além do baterista Edison Machado, único músico brasileiro do disco, porque Tom fez questão, era inaugurada a parceria com o maestro alemão Claus Ogerman, encarregado dos arranjos e que seria o principal orquestrador de sua obra daí em diante. E Tom, ao violão e ao piano, apresentava quase que didaticamente os seus temas ao público americano e mundial, com o seu, a partir dali famoso, "*one finger piano*". "Queria delinear bem as melodias num período em que elas ainda não eram conhecidas", explicaria depois Tom, sua opção pela execução simples.

Se Nara ainda tinha alguma dúvida sobre o caminho que escolhera para o primeiro disco — "procuro sair do que se chama bossa nova" —, o disco de Tom, lançado junto com o seu, reforçava seus argumentos. E era, no mínimo, a prova de que a bossa nova estava pronta, cristalizada e era até exportada. Era preciso algo novo: "procuro sair da chamada bossa nova."

Ao mesmo tempo em que lançava seu primeiro disco, com forte apelo político, fruto de seu envolvimento com o CPC, Nara começava a participar intensamente, como artista, do próprio movimento político. Pouco antes do luxuoso lançamento do seu disco na Zum-Zum, ela se apresentou, por exemplo, junto com Cartola, Nelson Cavaquinho, Carlos Lyra, Ismael Silva e Sérgio Ricardo em uma Noite de Cultura Popular na Faculdade Nacional de Medicina, em prol da reforma universitária.

Dias depois do lançamento, aderiu ao Comando dos Trabalhadores Intelectuais (CTI), movimento idealizado pelo editor Ênio Silveira, da Civilização Brasileira, e assinado pelos grandes artistas brasileiros de esquerda do momento, gente como Jorge Amado, Oscar Niemeyer, Di Cavalcanti, Paulo Mendes Campos, além de todo o pessoal do CPC, cujo objetivo era "participar de uma frente única nacionalista e democrática, com as demais forças populares". Nara achava que seu disco, inclusive, fazia parte desse movimento, ao jogar luzes sobre temas "populares e históricos".

Havia, contudo, uma terceira notícia na página histórica do *Jornal do Brasil* de 21 de fevereiro de 1964 e que, ao contrário da inauguração do Zicartola e do lançamento de *Nara*, demoraria um pouco mais a acontecer. E estava num anúncio, pago, que talvez tenha passado despercebido: "BRIZOLA — Hoje às 21,30 horas importante pronunciamento do deputado Leonel Brizola na Rádio Mayrink Veiga."

Na noite de 21 de fevereiro em que o Zicartola era inaugurado, Brizola disse na Rádio Mairink Veiga que ele, o PTB (Partido Trabalhista Brasileiro) e todos os partidos e instituições de apoio às reformas propostas pelo presidente Jango — reforma Agrária, Urbana, Tributária, entre outras — deveriam comparecer ao comício que o presidente havia convocado para o dia 13 de março seguinte, em frente à estação Central do Brasil, no Rio, onde assinaria diante do povo as chamadas Reformas de Base. A UNE, o CPC e, claro, o CTI, além de outros grupos a que Nara de alguma forma estava ligada, aderiram à convocação.

O Comício da Central seria, como o Zicartola e o disco de Nara, um sucesso. Seria, no entanto, também um dos principais pretextos para a outra notícia histórica que estava oculta, era quase um enigma, da página 13 do *Jornal do Brasil* de 21 de fevereiro de 1964: finalmente o golpe militar, trabalhado por líderes civis, como Lacerda, e militares pelo menos desde 1961, e que se daria no dia 1º de abril de 1964, literalmente incendiando a UNE, fechando o CPC e o CTI, jogando a nova vida de Nara Leão numa roda-viva que iria durar muito, e ter sérias consequências. A primeira, logo de imediato, foi que se a faixa de abertura do seu primeiro disco era apenas uma canção belíssima de Carlos Lyra e Vinicius de Moraes, ela se tornou, como que por encanto, não só uma previsão do golpe que acabou acontecendo, como também uma primeira reação a ele, ainda antes de acontecer.

"Acabou nosso carnaval", cantava Nara, logo no primeiro verso da canção, o que estava acontecendo na história. *Nara* era mesmo um disco cheio de histórias.

2. "E no entanto é preciso cantar"

Na noite de 31 de março de 1964, um mês e dois dias depois do lançamento de *Nara* na Zum-Zum, Carlos Lyra chegou meio atônito ao prédio da UNE, na praia do Flamengo, desta vez menos para bater ponto como diretor musical do CPC do que para saber de fato o que afinal estava acontecendo. A boataria era imensa, tropas de Minas Gerais teriam se sublevado e estariam rumando em direção à Guanabara. A cidade começava a se agitar, especialmente no entorno do Palácio Guanabara, não muito distante dali, afinal era uma das sedes de comando do golpe que estaria em curso para derrubar o presidente João Goulart. O governador Carlos Lacerda, já se sabia, conspirava havia pelo menos dois anos com os militares, quase sem segredo.

No Teatro da UNE havia acabado o ensaio da nova peça do CPC, *Os Azeredos mais os Benevides*, escrita por Oduvaldo Vianna Filho e para a qual Edu Lobo, compositor que havia praticamente estreado em *Nara*, escrevera o tema musical principal, "Chegança", e preparava todo um *score* musical. Após o ensaio, a equipe da peça, os atores e alguns membros do CPC saíram do teatro e se juntaram a outros estudantes no imenso salão de entrada do prédio. O poeta Ferreira Gullar e sua mulher, a atriz e produtora Teresa Aragão, além de outros membros do CPC, estavam sentados, conversando, em um banco de madeira que ficava bem em frente ao portão principal do prédio. Vendo a agitação crescente, a chegada de estudantes meio sem saber o que estava acontecendo, e com um radinho de pilha colado no ouvido, uma das atrizes da peça, Vera Gertel, então namorada de Carlinhos Lyra, teve uma intuição: "Olha, já metralharam a UNE uma vez, e pode acontecer de novo. Não seria melhor tirar esse banco tão exposto?"

Carlinhos chegou justo nesse momento. Parou seu Citroën preto bem diante da porta da UNE e entrou. E, como ouvira no rádio, Vera confirmou que tropas de Juiz de Fora estariam a caminho do Rio de Janeiro, no que seria, de fato, uma tentativa de golpe. Se tivesse falado alto, é possível que muitos dos estudantes ligados à UNE desdenhassem, confiando no aparato militar de Jango, na reação legalista da chamada ala nacionalista das Forças Armadas, que funcionara em 1961, depois da renúncia de Jânio Quadros.

Parecia, efetivamente, que o que estava acontecendo naquele fim de noite de 31 de março era a realização na prática daquela edição do *Jornal do Brasil* de 21 de fevereiro que, além de anunciar a inauguração do Zicartola e do primeiro disco de Nara Leão, mostrava, na mesma página, Jango prometendo armas ao Exército para que "ele defenda a democracia", enquanto Lacerda conspirava a céu aberto para derrubá-lo.

Toda e qualquer dúvida sobre o que de fato estava acontecendo naquele início de madrugada de 1º de abril de 64 se dissiparia alguns momentos depois. Já não tão expostos à porta de entrada, mas ainda no grande saguão do prédio da UNE, os artistas de *Os Azeredos mais os Benevides*, os dirigentes do CPC, uma pequena multidão de estudantes, Vera Gertel e Carlinhos Lyra começaram a ouvir o que pareciam ser tiros de metralhadora. Poucos daqueles considerados na época perigosos comunistas subversivos já tinham ouvido tiros alguma vez na vida — estavam ali estudantes, artistas, um grande poeta e o mais sensível dos compositores da bossa nova — mas a intuição de se jogar no chão foi comum a todos, pois se os tiros não lhes eram bem distintos ao ouvido, as balas atingiam as paredes e, perigosamente, ricocheteavam pelo salão deixando claro que, sim, eles estavam sendo alvejados sabe-se lá por quem, talvez pela polícia de Lacerda descontrolada, o Comando de Caça aos Comunistas, ou outra milícia golpista qualquer.

Aparentemente não havia como fugir — a única saída seria justamente a porta do prédio, de onde vinham os tiros. Até que o pessoal da peça se lembrou de um pequeno corredor em obras que dava para os fundos do teatro, e que eles andavam usando para cortar caminho. Meio que agachados e atabalhoadamente, todos se refugiaram no Teatro da UNE até que os tiros cessassem. Com o fim dos tiros, muitos se dispersaram e conseguiram sair do prédio pelos fundos, pulando o muro que dava para a rua do Catete, menos visada naquele momento de tensão. O saldo milagrosamente foi de um ferido, no lado de fora do prédio.

Durante a madrugada, contudo, alguns dirigentes estudantis crentes no esquema de resistência ao golpe e outros políticos solidários aos estudantes foram para o prédio da UNE e revezaram-se em discursos de combate. Aos poucos, a marcha dos acontecimentos e a prudência de alguns líderes políticos fizeram com que a perigosa mobilização em torno do prédio da UNE também se dispersasse. De um lado, soldados destacados para proteger o prédio recomendaram que todos fossem embora, não havia nada a ser feito naquela hora. O Partido Comunista Brasileiro (PCB), predominante entre os estudantes e entre os membros do CPC, determinou um recuo. Carlos Lyra pegou seu Citroën e foi para casa. Lá, inconformado, achando que deveria resistir, botou um revólver calibre 32 na cintura por sob uma capa e voltou de manhã para o prédio da UNE, dessa vez de táxi — como se não bastasse, o Citroën enguiçara.

Lá pelas dez horas da manhã, já quase vazio, o prédio foi vandalizado e, por fim, incendiado. Escondido em um táxi, rumo a Ipanema, onde morava, Ferreira Gullar que estava lá desde a noite anterior, ainda viu a UNE incendiada.

Carlos Lyra, também. Mais tarde, em sua casa em Ipanema, na rua Barão da Torre, mais do que tentar se recuperar do trauma — dos tiros, da derrota política —, estava estupefato com a intuição de seu parceiro Vinicius de Moraes, que pouco mais de um ano antes daquele 1º de abril, data do golpe de 64, praticamente o descreveu na música que fizeram juntos justamente ali, no prédio da UNE, numa noite de exageros etílicos, é claro, mas principalmente musicais.

Ainda no início de 63, Vinicius havia escrito ali, diante dele, versos que descreviam poeticamente o que poderia, sim, ser um golpe militar quebrando a ordem democrática, sob a metáfora do fim do Carnaval.

Acabou nosso carnaval
Ninguém ouve cantar canções
Ninguém passa mais brincando feliz
E nos corações
Saudades e cinzas foi o que restou

O requinte das "saudades e cinzas" terem sido escritos em um prédio que dali a um ano seria incendiado só aumentava a sensação de que a intuição da letra de Vinicius extrapolava a poesia, como se o poeta fosse o guia de algo maior, escrito nas pedras do edifício.

A sensação imediata dos que saíram do prédio da UNE naquela madrugada e dos que viram o prédio em chamas diante da indiferença da maioria das pessoas e mesmo da comemoração popular do golpe, aparece na segunda estrofe da canção.

Pelas ruas o que se vê
É uma gente que nem se vê
Que nem se sorri
Se beija e se abraça
E sai caminhando
Dançando e cantando cantigas de amor

Até que a resistência à ditadura militar implantada aos poucos e sorrateiramente após o golpe que derrubou Jango seria em grande parte pela via da cultura, mais da produção de canções, peças, filmes do que das vias políticas normais — ou seja, mais CPC do que UNE —, Vinicius parecia intuir, um ano antes, no refrão da canção:

E no entanto é preciso cantar
Mais que nunca é preciso cantar
É preciso cantar e alegrar a cidade

Se fosse um filme, enquanto Carlos Lyra estivesse lambendo em Ipanema as feridas de um golpe militar tão vivido na carne — tiros ricocheteando na casa dos estudantes e dos artistas, na casa da "mocidade brasileira", como diria Vinicius sobre a UNE — apareceria uma vinheta indicando o pulo do tempo.

Um ano antes...

... Naquele fim de tarde do início de 1963, Carlos Lyra chegava à Praia do Flamengo, 132 com duas melodias nas mãos e uma missão na cabeça. A missão: compor um hino para a União Nacional dos Estudantes — como se fosse um presente do Centro Popular de Cultura para a sua "mãe", a UNE. As duas melodias eram inusitadas e poderiam servir, pois eram de marchas, ritmo tradicionalmente usado nos hinos.

Contudo, mais do que perfeitas para hinos, eram marchas, vejam só, representantes do velho gênero de música marcial que, no Rio de Janeiro do fim do século XIX, fora abrasileirado por Chiquinha Gonzaga. Em 1899, Chiquinha já era uma compositora consagrada quando recebeu a inusitada encomenda de um cordão carnavalesco do bairro onde morava, o Rosa de Ouro, do Andaraí, de uma música que o representasse no Carnaval daquele ano. E Chiquinha, numa ideia tão carioca, encheu o velho gênero militar de bossa e compôs "Ô abre alas", que seria a primeira marchinha de Carnaval e ganharia o concurso carnavalesco daquele ano, fazendo jus ao seu verso premonitório: "Rosa de Ouro é que vai ganhar."

Trinta anos depois, a marchinha carnavalesca, em sua versão mais rápida, feita para alegrar os bailes de clubes e salões, ou a marcha-rancho, mais lenta e lírica, feita para embalar os desfiles dos ranchos carnavalescos, seriam, juntamente com o samba, a música de Carnaval por excelência no Rio — em Pernambuco, incendiada pelas bandas de sopros, a marcha renasceria sob o nome de frevo, ritmo que teria desdobramentos insuspeitos na Bahia e até no Rio, onde cordões de frevos também desfilariam no Carnaval.

Mas naquele início de anos 1960, com a Bossa Nova no auge e a música carnavalesca, à exceção do ascendente samba-enredo, já em decadência não poderia haver nada mais "quadrado", antiquado, do que as velhas marchinhas. Isso soava como música aos ouvidos militantes de Carlinhos Lyra. Mesmo autor de alguns dos sambas mais modernos da bossa nova, como "Você e eu", com Vinicius, ou "Se é tarde me perdoa", com um sobrinho-bisneto de Chiquinha Gonzaga, Ronaldo Bôscoli — ambas devidamente gravadas por João Gilberto —, Carlinhos já estava totalmente imbuído do espírito do CPC de promover o reencontro da juventude de classe média e sua música moderna com os ritmos e gêneros "do povo", seja o "samba de morro", sejam também outros gêneros considerados ultrapassados. Caso da marcha-rancho.

Desde que ajudara a fundar o CPC, em 1961, e de ter se tornado seu diretor musical imbuído da missão de reencontrar a música do povo, Carlinhos descobrira em si mesmo um talento e um desejo de fazer todo e qualquer tipo de música — e não ficar limitado à dieta habitual da bossa nova, o samba moderno e as canções sofisticadas típicas do movimento que ajudara a forjar. "Carlos Lyra mostra quanto um compositor pode ser versátil sem ser eclético", definiria naquele mesmo ano de 63 seu principal parceiro nessa empreitada, o letrista Nelson Lins de Barros, também ligado ao CPC e com quem começaria a compor canções nesse sentido, em geral para peças e filmes também produzidos pelo CPC.

"Eu queria fazer todo o tipo de música", reconhece Carlos Lyra tantos anos depois, e lembrando por que naquela tarde de 63 tinha não uma, mas duas marchas-ranchos na mão e no violão. A tal versatilidade era esteticamente revolucionária.

Naquele mesmo momento, por exemplo, ele começava a compor com o também iniciante Geraldo Vandré nesse sentido "popular" e experimental. Para o filme *Couro de gato*, episódio de Joaquim Pedro de Andrade do longa-metragem produzido pelo CPC *5 vezes favela*, eles fizeram "Quem quiser encontrar o amor", samba "de morro" na primeira parte que se transforma num samba "bossa nova" na segunda, como que seguindo a história do filme: um gato de madame, da "cidade", que acaba fugindo e sobe literalmente o morro onde vai, digamos, virar tamborim. Era como se alegoricamente a bossa nova voltasse às suas origens: o morro e o samba tradicional. "Pobre samba meu/ Volta lá pro morro e pede socorro onde nasceu", diria o próprio Carlos Lyra na letra de "Influência do jazz", outro samba "crítico" e experimental dessa impressionante safra de 1963.

Em "Aruanda", a temática "afro" da letra de Vandré é embalada por uma música ainda mais experimental, um ritmo novo, misto de samba com maracatu — antes que Jorge Ben consagrasse o "gênero" naquele ano mesmo, em "Mas que nada".

Foi com esse espírito que Carlos Lyra chegou ao prédio da UNE naquela tarde de janeiro de 63, para encontrar seus companheiros de CPC e fazer o hino. Em princípio, a ideia era que a letra fosse feita pelo próprio Oduvaldo Vianna Filho — mentor e ideólogo do CPC, grande dramaturgo e que, afinal, vinha escrevendo letras para as canções de suas peças, algumas com o próprio Carlinhos, como as seis canções de *A mais-valia vai acabar, seu Edgard*, consideradas bem boas pelo parceiro, que já havia até decidido gravar "O melhor, mais bonito é morrer" em seu próximo disco. Vianinha, por sua vez, achava que Carlos Lyra "musicava até bula de remédio", como costumava dizer numa frase que acabou virando clichê para definir compositores muito hábeis, mas não se considerava propriamente um letrista, suas incursões na área limitavam-se às canções com função dramática em suas peças, como uma espécie de continuidade de sua dramaturgia. Uma canção assim, do nada, um hino, imagina, era coisa para letrista de verdade.

"E se eu chamar o Vinicius?", arriscou Carlos Lyra, que naquela virada de 62 para 63 estava enfileirando uma série de canções com Vinicius de tudo quanto era jeito, e até arriscando toda uma comédia musical com canções e sambas de bossa, é claro, mas com ritmos até então tabus na bossa nova, como um xaxado.

Vianinha abriu um sorriso, mas duvidou que Vinicius topasse — os companheiros de Bossa Nova de Carlinhos não costumavam ver com bons olhos aquele seu engajamento no CPC. O sempre venenoso e "alienado" Ronaldo Bôscoli, seu ex-parceiro e atual desafeto, referia-se a ele como "aquele comuna". De todo modo, ali na hora, Carlinhos ligou para Vinicius com convicção, sabia que com ele era diferente do pessoal da bossa nova, e fez a proposta até com certo jargão militante.

"Parceiro, fomos escalados para fazer o Hino da UNE."

Vinicius, que na época morava com sua terceira mulher, Maria Lucia Proença, próximo dali, no Parque Guinle — magnífico conjunto de prédios modernistas em Laranjeiras —, não só atendeu sem titubear à "escalação", como também chegou ao prédio da UNE em meia hora.

Carlinhos sabia. De todos os seus companheiros de Bossa Nova, com Vinicius esse movimento em busca de uma música, digamos, diferente, seria mais fácil. Embora Vinicius tenha dado a base do que seria uma letra de música moderna — mais simples, coloquial, contemporânea —, ele era mais velho do que a "turma da Bossa Nova" que se reunia na casa de Nara Leão e era orientada pelo posicionamento radical de Ronaldo Bôscoli contra a música do passado. Vinicius, ao contrário, não somente tinha vivência, como também tinha gosto por aquele tipo de música que Carlos Lyra queria recuperar e modernizar. Com Tom Jobim, para a trilha do filme *Orfeu do carnaval*, Vinicius havia feito uma marcha, o "Frevo do Orfeu". E, louco pelo gênero, havia acabado de adaptar e pôr letra no famoso coro final da "Cantata 147", de Johann Sebastian Bach, conhecida como "Jesus, alegria dos homens", para uma marcha de rancho — como, antigo, gostava de chamar, ainda com a preposição "de", referente à origem do gênero nos velhos ranchos carnavalescos — que ele rebatizou "Rancho das flores", gravada não só por cantores modernos como Luiz Claudio e Albertinho Fortuna, mas também pela Banda do Corpo de Bombeiros e pelos Meninos Cantores da Guanabara.

O que atraía Vinicius em Carlinhos Lyra, aliás, era justamente essa versatilidade do parceiro, essa capacidade que ele tinha de compor músicas muito diferentes — era versátil — sem perda de estilo e sem abandonar a modernidade formal conquistada pela bossa nova — ou seja, nada eclético, e sim um estilista. Já naquela época, Vinicius considerava o pessoal da bossa nova um pouco preconceituoso, interessado que estava em pesquisas em torno dos cantos do candomblé e da capoeira que já começava a fazer com um outro grande parceiro daquele momento, Baden Powell. Carlinhos não: como ele, era esteticamente aberto.

E, afinal, o processo pelo qual o parceiro estava passando naquele momento — o de partir de uma visão elitista da música popular e sentir necessidade de redescobrir a fonte musical, nesse caso o samba de Zé Kéti, Cartola e Nelson Cavaquinho —,

Vinicius já passara uns 15 anos antes, quando conheceu Ismael Silva e começou a andar para cima e para baixo com ele e, não por acaso, acalentar a ideia de escrever um filme ou uma peça adaptando o mito grego de Orfeu para o Rio de Janeiro, mais especificamente para os morros cariocas. E que Orfeu, o mito que encantava o mundo com sua lira, fosse negro e sambista. *Orfeu da Conceição*, a tal peça de Vinicius com canções dele e de Tom Jobim inspiradas, ou elas próprias, sambas de puro formato tradicional, que estreou no Theatro Municipal do Rio de Janeiro em 1956, foi escrita, entre outras coisas, pelo seu sentimento genuíno de que o samba seria a grande contribuição da cultura brasileira ao mundo. "Orfeu" acabaria inspirando profundamente a posterior bossa nova, talvez servindo de detonador. Com Carlinhos Lyra, agora, a volta ao morro parecia restabelecer um ciclo.

Os dois compunham juntos desde 1960, em princípio bossas novas clássicas, "Coisa mais linda", "Mas também quem mandou", "Minha namorada", mas a partir de 62 e da peça musical que estavam escrevendo juntos, *Pobre Menina Rica*, desenvolviam uma segunda fase da parceria, mais densa e variada.

Politicamente os dois também se identificavam. Depois de um perigoso flerte com o integralismo de viés católico conservador nos anos 1930, já no início dos anos 1940 e de sua entrada no Itamaraty como diplomata — sobretudo depois de uma viagem a serviço pelo Norte e o Nordeste, onde se deparou com a pobreza extrema e o abandono da população mais pobre —, Vinicius passa a se identificar como um homem de esquerda. Foi exatamente o mesmo movimento de Carlos Lyra, estudante do Colégio Santo Inácio, de formação jesuíta, que aos poucos foi, por sensibilidade social, convertendo-se à esquerda e até ao velho Partido Comunista Brasileiro, que dominava então o movimento estudantil e era o partido em que seus colegas de CPC, Vianinha, Ferreira Gullar, o dramaturgo Chico de Assis e seu parceiro Nelson Lins de Barros militaram.

E isso acontecia em paralelo à Bossa Nova. Enquanto ajudavam a modernizar a música brasileira, entre o fim dos anos 1950 e o início dos anos 1960, a situação política no Brasil ia se acirrando e Vinicius fazendo de sua poesia um movimento cada vez mais político. O seu poema mais político e francamente de esquerda, "Operário em construção", nasceria junto com sua canção mais moderna, "Chega de saudade", entre 1958 e 59.

Era natural, portanto, que aquele veterano e consagrado poeta de quase 50 anos estivesse ali no prédio da UNE diante de um garoto de menos de 30 com violão na mão, cercado por artistas e estudantes ainda mais jovens, que sonhavam com um país mais justo e mais "brasileiro" — os dois objetivos do CPC, a revolução social e o encontro de uma arte brasileira moderna, sim, mas autônoma.

Não é de estranhar que enquanto a bossa nova lançava seus hinos de beleza (e de explícita, quase orgulhosa, alienação política) — "Sem intenção, nossa canção/ Vai saindo desse mar/ E o sol/ Beija o barco e luz/ Dias tão azuis", dizia "O barquinho", de Roberto Menescal e Ronaldo Bôscoli —, Carlinhos Lyra fundasse o CPC e levasse Baden Powell e Vinicius para o acompanhá-lo em shows para os universitários, entre o Rio e São Paulo.

De um desses encontros com os estudantes, no caso os politécnicos de São Paulo, Vinicius escreveu uma crônica na qual descrevia todo o seu amor e sua perplexidade diante dos jovens em geral, especialmente os estudantes.

Mas ao olhar mais uma vez seus rostos pensativos diante da canção que lhes falava das dores de amar, meu coração subitamente se acendeu numa grande chama de amor por eles, como se eles fossem todos filhos meus. E eu me armei de todas as armas da minha esperança no destino do homem para defender minha progênie, e bebi do copo que eles me haviam oferecido, e porque estávamos todos um pouco emocionados, rimos juntos quando a canção terminou. E eu fiquei certo de que nenhum deles seria nunca um louco, um traidor ou um assassino porque eu os amava tanto, e o meu amor haveria de protegê-los contra os males do viver.

E assim, desse Vinicius emocionado e cheio de interesse e carinho pela juventude, nasceu, ali na hora, o Hino da UNE sobre a primeira melodia apresentada por Carlinhos. O resultado foi um hino mesmo, mas com uma primeira parte lenta e sofisticada harmonicamente como se fosse uma canção bossa-nova:

União Nacional dos Estudantes
Mocidade brasileira
Nosso hino é nossa bandeira

Que evolui para uma segunda parte em ritmo acentuado de marcha e letra igualmente acentuada de hino:

De pé a jovem guarda
A classe estudantil
Sempre na vanguarda
Trabalha pelo Brasil

Para culminar em um refrão de mestre, que já começa com uma rima rica interna ("A UNE reúne...") e culmina em versos que seriam cantados eternamente pelos integrantes da UNE mesmo depois que, fechada durante a ditadura militar, ela renascesse com a volta da democracia nos anos 1980.

A UNE reúne futuro e tradição
A UNE, a UNE, a UNE é união
A UNE, a UNE, a UNE somos nós
A UNE, a UNE, a UNE é nossa voz

Os dois autores ficaram tão contentes com o resultado do "Hino da UNE" que, empolgados, não deixariam a outra marcha sem conclusão. Na mesma noite, mais do que um hino feito com o propósito de que durasse para sempre, Carlos Lyra e Vinicius de Moraes fizeram uma canção também eterna, até mais bonita e sofisticada — e que adivinharia o futuro. Não somente o golpe militar, que se daria dali a pouco mais de um ano e de certa forma era previsível, mas o fim da ditadura militar, em algum momento futuro da história.

A tristeza que a gente tem
Qualquer dia vai se acabar
Todos vão sorrir
Voltou a esperança
É o povo que dança
Contente da vida, feliz a cantar

E como em sua crônica para os politécnicos de São Paulo de um ano antes ou na própria letra do Hino da UNE de apenas uma hora atrás, Vinicius lega à mocidade brasileira um futuro melhor, utilizando-se de uma metáfora tão cara à bossa nova, o "azul":

Porque são tantas coisas azuis
E há tão grandes promessas de luz
Tanto amor para amar de que a gente nem sabe

Definitivamente comprometido com a juventude à sua volta tanto política quanto esteticamente — e de fato, a partir dali, ele praticamente só faria música com parceiros mais jovens, gente que ele estava conhecendo naquele verão de 1963, compositores como Edu Lobo e Francis Hime, com quem começava a fazer canções —, no final da marcha-rancho Vinicius parecia mandar um recado para si próprio:

Quem me dera viver pra ver
E brincar outros carnavais
Com a beleza dos velhos carnavais
Que marchas tão lindas
E o povo cantando seu canto de paz
Seu canto de paz

Estava pronta uma obra-prima de Carlos Lyra e Vinicius de Moraes, a "Marcha da Quarta-feira de Cinzas". Que não poderia, pelo inusitado da composição, ter o destino comum das canções de bossa nova. E foi lançada, dali a um mês, em fevereiro de 63, por um intérprete especializado em Carnaval, Jorge Goulart, um cantor de samba — mas que também cantava marchas, havia lançado algumas de muito sucesso, como "Salve a mulata" e "Balzaquiana" — e de esquerda, ativo membro do PCB e do Sindicato dos Artistas em parceria com a mulher também cantora, Nora Ney, e, àquela altura, um defensor do governo Jango juntamente com os estudantes. Sua gravação, contudo, feita para a gravadora Copacabana ainda num disco de 78 rotações, formato já obsoleto para a época, não teria grande impacto.

Ainda em 63, o próprio Carlos Lyra gravaria a "Marcha da Quarta-feira de Cinzas" em seu LP daquele ano, pela Philips, o terceiro de sua carreira. Embora Nelson Lins de Barros tenha reconhecido devidamente a importância da canção no seu texto de contracapa — "Carlos Lyra e Vinicius de Moraes conseguiram reviver a marcha-rancho. É uma música de saudade, mas também uma música de apelo à alegria e, acima de tudo, uma música de esperança" —, ela aparece na discreta quarta faixa do lado B do LP, o que não indicava grande perspectiva de sucesso.

Curiosamente, o arranjo do geralmente moderno Luiz Eça para o LP de Carlos Lyra é tão tradicional quanto a gravação de Jorge Goulart, com a harmonia levada no violão, a percussão tradicional de marcha e, em ambas as gravações, o coro misto emulando o povo no Carnaval. Carlinhos canta até de forma impostada, como se quisesse fazer a música da mesma forma que Jorge Goulart, com sua voz potente, fazia de forma natural.

O LP se chamava *Depois do carnaval*, mas, sem ilusões, o título não se referia à "Marcha da Quarta-feira de Cinzas", e sim ao samba que abria o disco, com o mesmo título, que Carlinhos e Nelson Lins de Barros fizeram para a abertura do filme *Couro de gato*. Era um típico samba cepecista: sofisticado, mas buscando emular um samba "autêntico", com letra exaltando a cultura popular, "Canto pra sonhar/ Sonho pra esquecer/ Mas não faz mal, é carnaval/ Que vem lá do morro onde ninguém vai...", e, este sim, com arranjo espetacular de Luiz Eça, flautas, cordas e tudo a que se tem direito.

Como era comum na época para cada música bonita lançada, alguns outros intérpretes a gravaram logo no primeiro ano de vida, mas no caso daquela canção não aconteceria nada de muito emocionante. O conjunto Os Bossais, criado meio de brincadeira pelo pianista Pedrinho Mattar e que tinha as "embaixadoras" da bossa nova em São Paulo, as cariocas Alaíde Costa e Claudette Soares como vocalistas, fez o protocolar lançamento paulistano da música — mercados bem distintos à época, Alaíde e principalmente Claudette tinham a "missão" de lançar na noite e em discos as canções da bossa nova em São Paulo. O violonista Paulinho Nogueira, também em São Paulo, fez uma gravação instrumental. Comparadas às 27 gravações que "Garota de Ipanema" teve só no Brasil naquele seu segundo ano de vida, dá para se ter a dimensão de que a música de Carlos Lyra e Vinicius não fez propriamente sucesso assim que foi lançada.

Discreta mesmo num disco de Carnaval de Jorge Goulart, num LP do autor Carlos Lyra, no lançamento paulista pelas vozes de Claudette Soares e Alaíde Costa, ou mesmo no violão virtuose de Paulinho Nogueira, a "Marcha da Quarta-feira de Cinzas" parecia — e era — uma canção ainda fora de seu tempo. Mas por pouco tempo.

Nara despercebida

Mas o disco que de certa forma escondia a "Marcha da Quarta-feira de Cinzas" também não dava o devido destaque a algo ainda mais importante que o lançamento de uma canção bonita e relevante. Com uma única citação na contracapa, abaixo da repetição do título do disco — *Depois do carnaval* —, que vinha em grande destaque, e do subtítulo, *O sambalanço de Carlos Lyra* (e sambalanço foi a marca inventada e registrada por

Carlos Lyra para se contrapor à marca Bossa Nova, que ficou associada à turma de Ronaldo Bôscoli e à gravadora Odeon, de João Gilberto), em tipos de corpo bem menor, havia finalmente a informação: "Com a participação especial do TRIO TAMBA (Luiz Eça, Elcio e Bebeto) e NARA LEÃO."

Embora em caixa alta, os nomes do Trio Tamba e de Nara Leão tinham pouquíssimo destaque. Em relação ao Tamba Trio, nome que o célebre conjunto liderado por Luiz Eça usava para assinar seus trabalhos, até que a falta de informação era menos prejudicial, já que o grupo aparecia em quase todas as faixas, mas apenas fazendo a base para os arranjos grandiosos e orquestrais de Luiz Eça. A Nara, contudo, não se fazia mais referência nem na contracapa, onde as faixas eram mencionadas uma a uma e comentadas, nem no selo do disco, com o nome das canções e dos autores.

Era simplesmente a estreia de Nara Leão em disco, suas duas primeiras gravações. Lançadas, no entanto, de forma discreta. Talvez como ela própria.

Para se saber que músicas Nara cantava, era preciso ler com muita atenção, decifrar o texto de Nelson Lins de Barros e descobrir que das 13 faixas do LP duas eram duetos entre homem e mulher e deduzir que a voz feminina só podia ser dela.

Apesar de tudo, a primeira música gravada em disco por Nara Leão, o samba "É tão triste dizer adeus", de Carlos Lyra e Nelson Lins de Barros, não poderia ser mais revelador da cantora que ela de fato viria a ser no futuro: irônica, política, aberta esteticamente e, bem à sua maneira, feminista. O dueto fazia parte da peça musical *Um americano em Brasília*, escrita pelo próprio Nelson e por Chico de Assis, uma das seis peças que Carlinhos Lyra faria música, nos três anos de existência do CPC. A peça contava a história de Maria do Maranhão, mulher que largava marido, pobreza e falta de perspectiva no extremo Nordeste e percorria sozinha o Brasil até chegar a Brasília.

O título, evidentemente uma paródia do musical americano *Um americano em Paris*, é profundamente cepecista no sentido do humor político, era perfeito para as intenções musicais de Carlinhos Lyra no CPC, que era trazer toda a sua versatilidade e os avanços musicais da bossa nova para temas, digamos, mais "brasileiros" e com mais responsabilidade social e política. Se "O barquinho" era uma canção "sem intenção", as dele, naquele momento, eram de pura intenção.

O excelente samba "É tão triste dizer adeus" reflete justamente o drama de Maria do Maranhão e do marido, ele pobre, mas conservador, querendo que ela fique, e ela já decidida a mudar de vida. Na primeira parte do samba, lenta e lírica, o homem promete mundos e fundos para ela, fala em "cantinho", em "juntinho", quase que numa paródia da bossa nova. Na segunda parte, mais intensa e com o ritmo do samba acentuado, a mulher — Nara pela primeira vez em disco — reage irônica e decidida:

> Mas pra que é que eu vou ficar?
> Pra comida eu preparar?
> E ter filhos pra criar?
> E ter roupa
> "É tão triste" [responde o coro]
> Para lavar
> "Dizer adeus" [completa o coro, conformado]

Lyra volta, lírico, a insistir. E Nara, decidida e afinada, é ainda mais enfática na decisão e nos argumentos de por que ir embora:

> Pras despesas aumentar
> E a vida piorar
> Ninguém pode suportar
> O melhor
> "Tão triste" [responde o coro]
> É separar
> "Dizer adeus" [responde o coro]

A outra canção com a participação de Nara em *Depois do carnaval* é ainda mais bonita, dessa vez um dueto de amor, "Promessas de você", também de Carlos Lyra e Nelson Lins de Barros para o musical *Um americano em Brasília*, e, sabe-se lá por quê, não se tornou um clássico do cancioneiro da bossa nova. Depois da introdução ultrarromântica do homem, a mulher responde, apaixonada e em ritmo de samba, Nara anunciando aí seu outro potencial como cantora, aliás, o que se esperava dela desde o início, uma cantora — musa, afinal — da Bossa Nova.

> Com você a vida fica diferente
> Sonhos bons que a gente sente
> São promessas de você
>
> Mas agora eu encontrei tudo em você
> E você me fez saber
> O que é vontade de viver.

Mesmo relativamente "escondida" no disco de Carlos Lyra, a participação de Nara Leão serviu-lhe para muitas coisas, a primeira, é evidente, entrar em um estúdio, gravar, ver a música circular. Mas, mais do que isso, foi fazer essa sua estreia fonográfica fora do âmbito, àquela altura para ela sufocante, da "turma da Bossa Nova" (ainda que na segurança de estar ao lado de velhos companheiros da turma, como o próprio Carlinhos e Luizinho Eça nos arranjos, os amigos do Tamba Trio fazendo a base).

A estreia em disco deveria ter se dado uns dois anos antes, quando a Bossa Nova estourava, mas em ambiente sem amigos, sem Carlinhos e sem Tamba. Pelo contrário. Convidada para fazer um teste na gravadora Columbia, Nara foi recebida pelo trombonista e arranjador Astor Silva, grande músico, moderno, mas já calejado na noite, nas orquestras, em gafieiras, bailes e *dancings*, ambientes pesados e profissionais. Nara cantou "Insensatez", o futuro clássico de Tom Jobim e Vinicius, então ainda inédito, antes, portanto, da famosa gravação de João Gilberto em seu terceiro disco na Odeon, em 61. E não é que Astor não tivesse gostado — embora tenha achado a música comprida demais e meio chata —, suas intenções é que pareciam talvez ser outras, tanto artística quanto pessoal.

Numa versão apimentada da história, diz-se que exagerada por Zé Kéti e não condizente com a habitual elegância de Astor Silva, ele teria reagido desta forma: "Coração, coração, minha filha. Você não é má, minha filha", começou dizendo o músico já quase quarentão para a menina de nem sequer 20. "Mas você, tão bonitinha, tão gostosinha, se você caprichar... Faz o seguinte, joga sua voz para o nariz, que fica sensual." E ainda completaria o comentário com a simples grosseria transformando-se em puro assédio. "Isso é que interessa, filha: voz de cama, entende? Eu te ajudo, te promovo. Vai para a minha casa, põe a voz no nariz o vamos dar um treino."

Afora o possível assédio, as intenções artísticas, no entanto, pareciam ser ainda mais confusas. E tudo acabou de vez numa gafe, descrita pela própria Nara: "Você tem que cantar mais sensual, feito a Maysa." Maysa! Justamente a já grande estrela da canção, pivô do término de seu noivado com Ronaldo Bôscoli. Mas o que irritou mesmo Nara foi a proposta final do maestro da Columbia:

"Por que você não canta um bolero?"

"Porque eu não quero ser cantora."

"Então o que é que você está fazendo aqui?", perguntou Astor Silva em sua, talvez, única frase sensata naquele dia.

"Eu não sei!", respondeu, sincera, Nara. "Eu quero se for assim, se não for assim eu não quero, não."

Do lamentável episódio, ficara a teimosia de Nara — que lhe seria muito útil durante a gravação e todo o processo que envolveria seu primeiro LP — e a certeza do que ela não queria: ser uma cantora como as outras daquele tempo, que cantavam da forma e com o repertório que os poderosos produtores homens elegiam para elas.

"Eu achava que era diferente das outras pessoas", recordaria Nara, alguns anos depois, essa sua resistência ao profissionalismo na música.

> Talvez eu não me propusesse a ser profissional porque os profissionais eram pessoas tão esquisitas para mim, que botavam o cabelo de todo o tamanho, os olhos pintados de azul, uma roupa brilhante. Profissional para mim era meio marciano, como eu poderia ser profissional se era tão diferente daquelas pessoas?

O ambiente na Philips, para o disco de Carlos Lyra, era bem mais ameno, o produtor era Armando Pittigliani, quase tão jovem quanto ela e interessado de verdade naquela música nova que eles estavam fazendo. Mas, ainda mais importante que isso, foi a realização de um anseio que também vinha desde

61: de alguma forma participar do Centro Popular de Cultura, ainda que indiretamente.

Como havia abandonado a escola para viver, se não ainda de música, mas na música — certa vez, numa festa, João Gilberto propôs: "Vamos agora pra São Paulo, eu vou fazer um show, vambora?". E ela foi participar do show de João Gilberto em São Paulo, ligou para a mãe da Dutra e tudo bem —, acabou também não entrando para a universidade na idade certa. Não era estudante, portanto. Vivia de dar aulas de violão e de uma apresentação ou outra em palco ou na TV, ainda num ritmo semiprofissional. Talvez por isso fosse esnobada, ou melhor, nem percebida em suas incursões no CPC.

"Porque nessa época do CPC eu estava muito na fossa de não ser estudante, eu queria uma colher de chá no CPC e não tinha", lembraria Nara alguns anos depois.

> Ficava rondando o CPC para ver se alguém me cumprimentava e ninguém me dava a menor bola. Eu era louca para alfabetizar alguém, participar daqueles teatros, e ninguém me dava a menor pelota. Lembro que ia para lá e ficava meio na porta, era uma coisa horrorosa.

Para se ter uma ideia de como Nara passava despercebida no CPC, mesmo seu futuro marido, e de quem já estava ficando amiga próxima naquela virada de 1962 para 63, o cineasta Cacá Diegues não se lembra dela nas imediações da Praia do Flamengo, 132, nem mesmo de vê-la à porta — "Eu me sentia meio orfã, ficava nas grades do CPC, assim...", dramatizava Nara. E olha que Cacá não saía de lá, estudante de direito da PUC, redator-chefe do jornal *O Metropolitano*, semanário oficial da seção carioca da UNE que era encartado no *Diário de*

Notícias, e ligado umbilicalmente ao departamento de cinema do CPC, dirigido por Leon Hirszman, tendo feito seu primeiro filme profissional, em 35mm, *Escola de Samba Alegria de Viver*, como um episódio para o longa *5 vezes favela*, filme produzido pelo CPC.

Cacá se lembra de Nara no rápido namorico dela com o também cineasta Paulo Cezar Saraceni. E depois, mais nitidamente, namorando sério Ruy Guerra, cineasta estreante com o polêmico *Os cafajestes*, e que começava também a fazer letras de música. Autocrítica já como cantora — que ainda não sabia se era e, se fosse, se seria para sempre —, Nara recusou inclusive uma proposta do namorado para que ela atuasse no filme como atriz. Filme, aliás, que, ousado, seria marcado como o primeiro nu frontal do cinema brasileiro, protagonizado por Norma Bengell, a mesma atriz e cantora que fora vetada em 1959 pela reitoria da PUC no que seria o primeiro show da Bossa Nova, inclusive com anunciada participação de Nara, justamente por Norma aparecer seminua na capa de seu primeiro LP (*Oooooh! Norma*, já com canções da Bossa Nova) e por estar em cartaz como vedete em um picante espetáculo de revista na boate Night and Day. Em solidariedade a Norma, os outros cantores se recusaram a fazer o show na universidade católica, na Gávea, e o transferiram para o anfiteatro da então Faculdade de Arquitetura da Universidade do Brasil, na Urca — atrasando provavelmente em uns dois anos a amizade de Nara e Cacá, já que ele era um dos organizadores do show como dirigente do Diretório dos Estudantes da PUC.

Mas se Nara não aceitou o papel de atriz, ela ficou bastante encantada com o pessoal do cinema, e com as possibilidades expressivas de fazer filmes — eles, bem mais maduros, e seus filmes bem mais abrangentes esteticamente do que a turma da Bossa Nova e suas canções românticas —, que resolveu aprender montagem cinematográfica. Depois, Nara atribuiria, em primeiro lugar, ao cinema a virada de sua cabeça da bossa nova para o disco, que de fato viria a fazer.

> Nessa época, eu achei que ia ser montadora de cinema, fui aprender montagem, e tive uma certa convivência com essa realidade. Não foi através do samba de morro só, não, foi através do cinema, muito indiretamente. Através do *5 vezes favela*, as músicas do Zé Kéti, o teatro do Vianinha, todo aquele movimento me impressionou muito, tomar conhecimento de uma realidade social que eu não conhecia, que eu absolutamente nunca tinha ouvido falar.

O mesmo choque que Vinicius de Moraes tivera nos anos 1940, Carlos Lyra alguns anos antes dela — a de descobrirem-se numa ilha da fantasia chamada Zona Sul envolvida por um país assolado pela miséria e, naquele momento, em franca ebulição política, social e cultural —, Nara Leão vivenciava naquele justo momento.

Gravar duas canções de *Um americano em Brasília* foi, portanto, uma forma não apenas de participar, ainda que indiretamente, do CPC, mas de dar voz, como se acreditava na época, a personagens de fora da bolha, o "povo", no caso a personagem Maria do Maranhão. Tal atitude, tanto artística como política — e aí não havia mais diferença entre essas duas dimensões —, calou fundo em Nara, e num sentido muito prático.

> Eu era uma menina muito angustiada, desde a infância, era meio problemática, meio baixo-astral. E quando eu descobri essas coisas pensei talvez que pudesse prestar um serviço, pudesse fazer da minha vida uma vida útil e fazer coisas pelos outros. Afinal eu

estava na fossa, mas meu problema era muito pequeno, tem gente aí com problemas reais. Aí eu dei uma virada.

A virada foi a olhos vistos. E Cacá Diegues logo percebeu, não propriamente pelo interesse de Nara no cinema, mas por uma das primeiras recordações que ele tem dela, de vê-la cantar numa festinha. E ela cantava e tocava ao violão não um sambinha bossa-nova, como era de esperar, mas uma coisa diferente, que lhe chamou a atenção, uma marcha-rancho. Sim, aquela canção que Carlos Lyra e Vinicius fizeram no prédio da UNE na mesma noite em que haviam composto o hino dos estudantes.

Talvez mais importante do que ter sido sua estreia em disco como cantora, de ter sido sua chance de participar do CPC e dar voz a uma personagem marginalizada, o legado de *Depois do carnaval*, para Nara, foi ter conhecido em primeira mão, e ver desperdiçada, a "Marcha da Quarta-feira de Cinzas", canção tão despercebida como ela própria à porta da UNE.

Primeira faixa do lado A

Se quando Nara Leão ao apresentar a Aloysio de Oliveira o repertório que queria gravar no seu primeiro disco — sambas "de morro", canções de apelo "regional" — criara um imenso problema para o produtor, ao mesmo tempo ela viria com uma, pelo menos uma, tremenda solução. E essa solução se chamava "Marcha da Quarta-feira de Cinzas".

Mesmo que não fosse inédita, era uma canção desconhecida o suficiente, não marcara propriamente o Carnaval de 1963 na gravação de Jorge Goulart. E era de autoria de dois consagrados compositores da Bossa Nova, Carlos Lyra e Vinicius de Moraes. Produtor experiente, Aloysio tentou por meses convencer Nara a mudar um pouco o repertório, sabia que de tanta novidade que ela, mais do que propunha, impunha ao seu disco de estreia — os tais compositores "de morro" — poderia provocar um choque tal que inviabilizasse logo o disco de estreia da moça, em quem ele acreditava tanto como cantora de bossa nova.

"O Aloysio acabou aceitando porque eu era tão teimosa, era aquilo e não tinha jeito, porque eu era tão chata, tão birrenta, que não tinha solução. Não havia quem me convencesse do contrário", disse Nara, que pouco tempo depois se definiria, a pedido de uma revista, com uns versos de Machado de Assis: "Às vezes recatada, outras estouvadinha/ Casa no mesmo gesto a loucura e o pudor." No caso das intermináveis discussões com Aloysio, muito mais estouvadinha do que recatada; no caso do primeiro disco, um gesto mais de loucura do que de pudor.

Malandro velho, que já enfrentara a cantora com mais personalidade da história do Brasil, Carmen Miranda, e que lançara o nada fácil João Gilberto na Odeon, além de meia música brasileira àquela altura já ter passado por sua mão, Aloysio de Oliveira usou toda a sua habilidade de produtor para, juntando o desejo da artista e o seu gosto e sua intuição do que deveria ser feito, transformar a primeira faixa do primeiro disco de Nara numa peça de antologia. Para isso, confiava na inspirada melodia de Carlos Lyra, na sua esperta e moderna harmonia, na letra perfeita de seu velho amigo Vinicius de Moraes e no choque que elas provocavam: um velho gênero revigorado por novas ideias. Sabia que nem o arranjo estranhamente tradicional de Luiz Eça na gravação do autor, para violão, percussão e coro misto grandiloquente e sem introdução, muito menos o tradicionalíssimo arranjo da gravação de Jorge Goulart emulando velhas bandas, seriam modelo para a gravação de Nara. Encomendou ao experiente e moderno arranjador Lindolfo Gaya, seu parceiro desde os tempos da Odeon e de sua curta passagem pela Philips, uma orquestração mais condizente com a composição e o modo *cool*, naturalmente bossa-novista, com que Nara fazia a canção ao violão e encantava por sua estranheza e beleza quem a ouvisse. Que Gaya fizesse, pois, um arranjo meio bossa-nova.

Em agosto de 63, oito meses depois de composta, sete meses depois de lançada sem estardalhaço por Jorge Goulart e seis meses depois da gravação do autor, Nara Leão cantaria uma outra "Marcha da Quarta-feira de Cinzas" no estúdio Rio Som, na rua do Senado, parte velha do Centro do Rio.

Não que Gaya tivesse transformado a canção numa outra coisa. Ela continuava uma nostálgica marcha-rancho, com andamento binário e lento, bem marcado pela percussão tradicional. Mas com uma introdução feita exclusivamente pelo trombone a partir da melodia do refrão, a canção finalmente encontrava a melancolia já presente na melodia e na letra. E Nara, com a voz segura que confirmara desde as gravações com Carlos Lyra no início do ano, canta de maneira firme, porém sem efeitos, coloquial, como pede a bossa nova — e totalmente diferente das gravações anteriores. Mestre entre os arranjadores justamente nesse quesito, Gaya usa nesse arranjo tudo a que tem direito, mas de maneira quase minimalista: cordas com sutis e belíssimos desenhos melódicos só em momentos necessários, sopros, em geral fazendo contracantos nos espaços vazios deixados pela melodia, e um coro, como pede o gênero carnavalesco, mas exclusivamente feminino, firme e *cool* feito o canto de Nara. A delicadeza do arranjo ressalta, inclusive, as nuances harmônicas herdadas da bossa nova, enfeitando um gênero geralmente mais simples em termos de harmonia. Como a progressão no final da primeira parte que culmina com um acorde de sétima maior de dó antecedendo, cheio de expectativas, o refrão: "E no entanto é preciso cantar..." Perfeito e discreto.

Pronto, Aloysio tinha a primeira faixa do disco, Nara ficava satisfeita de cantar uma música mais, digamos, brasileira e política que as coisas da bossa nova, mesmo de Carlos Lyra e Vinicius, e o cancioneiro brasileiro ganhava um clássico eterno que, no entanto, mudaria de significado pouco mais de um mês depois do lançamento do LP de Nara, no fim de fevereiro de 64.

Após o golpe militar, que de fato parecia prever, a "Marcha da Quarta-feira de Cinzas" se tornaria uma canção de protesto *avant la lettre*, e seria vista de outra forma. Já astrólogo amador, conhecimento místico que aprofundaria nos anos de exílio no México e nos Estados Unidos, Carlos Lyra resolveu fazer o mapa astral de Vinicius para tentar entender essa aparente capacidade mediúnica do parceiro naquela canção. Descobre que Vinicius é um libriano típico, regido que era pela melancolia. Na interpretação do astrólogo e parceiro, tal melancolia não era uma simples tristeza, que teria um motivo — a morte de alguém, a perda de um amor ou mesmo uma derrota política como aquela —, mas uma vaga tristeza, no entanto, sendo melancolia, misturada com esperança. Ou seja, Carlos Lyra viu nos astros que "a tristeza que a gente tem qualquer dia vai se acabar".

A canção jamais abandonaria Nara, que logo a recuperaria, já com o novo sentido dado pelo golpe de 64. A marcha estaria no repertório do espetáculo *Opinião*, aí, sim, como uma completa canção de protesto. Vianinha e Ferreira Gullar, idealizadores da peça que seria a primeira reação da sociedade civil ao golpe, ainda no fim de 64, incluíram a canção que praticamente viram ser composta diante deles no prédio da UNE, cantada pela própria Nara, que explicava, durante a peça, o que seria a tal canção de protesto, conceito praticamente ainda desconhecido no Brasil de 64. Tanto que Nara, didaticamente, tinha de explicar que sua origem eram as *protest songs*, assim mesmo em inglês, cantadas pelos modernos trovadores americanos ligados à folk music e ao blues, protestando sobretudo contra a guerra no Vietnã. A música também voltaria, ainda na voz de Nara, no espetáculo seguinte daquele mesmo grupo, *Liberdade, liberdade*, na qual os autores Flávio Rangel e Millôr Fernandes compilavam textos sobre liberdade de toda a história da humanidade — e lá estava a "Marcha da Quarta-feira de Cinzas", mais hino do que o próprio Hino da UNE, sua canção irmã. E Nara, de certa forma, realizando seu sonho de fazer teatro musical com o pessoal do CPC — o Centro Popular de Cultura foi, obviamente, extinto após o golpe militar.

Mas voltando ao final de fevereiro de 64, quando o golpe militar parecia apenas uma ameaça. O incauto discófilo — como os jornais da época chamavam os compradores de disco — que abrisse o long-play ME-10 da gravadora Elenco, ou seja, a décima produção da intrépida gravadora de Aloysio de Oliveira, botasse a bolacha para rodar na vitrola na ordem correta, a partir da faixa 1 do lado A, e achasse que algo de diferente acontecia ao ouvir a musa da Bossa Nova cantando uma marcha-rancho daquele jeito simples, não perderia por esperar a faixa 2. A verdadeira novidade — que, sim, era imensa, como anunciava discretamente a faixa 1 — estaria ali. A alguns sulcos de distância.

3. "Eu estou na cidade, eu estou na favela"

Foi por volta de 1962, lá pelo meio do ano, o Rocha chegou a um botequim, em Madureira, cheio de lamentações. Encontrou Zé Kéti e lhe falou de "um sujeito que, com um violão debaixo do braço, andava por aí por causa de uma mulher". Zé Kéti disse: "Isso dá samba."

Já tinha dado, e o Rocha cantou. Zé Kéti ficou empolgado, a história que o Rocha acabara de contar transformada numa música que parecia com a história que eles estavam vivendo ali, naquela hora, alguém que estava andando por aí, cheio de lamentações, entra no botequim, encontra um amigo e apresenta um samba, porque havia motivo. E o samba era mais ou menos assim:

> Se alguém perguntar por mim
> Diga que fui por aí
> Levando um violão
> Debaixo do braço
> Em qualquer esquina eu paro
> Em qualquer botequim eu entro
> Se houver motivo,
> É mais um samba que eu faço

Se quiserem saber se eu volto
Diga que sim
Mas só depois que a saudade
Se afastar de mim

O Rocha era mesmo um sujeito formidável. Da nova fornada de compositores da Portela, parceiro de Candeia, da mesma geração de Monarco, Picolino, Waldir 59 e outros mais. Os chamados garotos do Natal, o poderoso Natalino José do Nascimento, dirigente da Portela, bicheiro, valente e apaixonado que, com um braço só — o outro fora amputado depois de um acidente de trabalho na Central do Brasil —, gostava de quebrar a hegemonia da geração de fundadores da escola entre os compositores, dando força para os novos que chegavam. "Deixa o garoto mostrar o samba dele", costumava dizer Natal aos mais velhos quando gostava do samba de um novo.

Naqueles últimos dez anos, Candeia e seus parceiros quebraram a hegemonia do grande Manacea, de Alvaiade e Ventura, a geração que depois seria conhecida como a Velha Guarda da Portela, e passaram a monopolizar os sambas-enredo da escola de Oswaldo Cruz, com um nível de melodia e letra nunca antes visto.

Não menos talentoso, vê-se pelo samba que apresentava ali no botequim, Rocha nunca seria tão famoso. Mesmo quando em abril de 64 contou a história dessa composição para o jornalista Juvenal Portella, colunista de samba do *Jornal do Brasil*, Zé Kéti teve de explicar: "Este samba nasceu quando o H. Rocha, que é compositor da Portela também, chamou-me no botequim..."

Rocha, como o chamavam mesmo seus amigos da Portela. H. Rocha, como ele apareceria nas reportagens e no selo e na contracapa do disco com a gravação que Nara Leão faria de

"Diz que fui por aí", o tal samba que ele cantou para Zé Kéti no botequim de Madureira, a primeira de dezenas de gravações de seu único samba de sucesso.

Hortêncio Rocha era seu nome, com o qual, aliás, já havia assinado e cantado o espetacular "Chuva" no LP *A vitoriosa Escola de Samba Portela*, lançado pela gravadora Sinter, em 1957, no qual, pela primeira vez, os autores da escola cantam seus sambas de enredo ou de terreiro, capa gloriosamente ilustrada por Lan e texto de contracapa escrito por Sérgio Porto.

"Chuva", do Rocha, era literalmente um "samba de morro", pois em versos precisos falava de uma noite de chuva na favela: "Chove, que tristeza eu sinto/ A chuva bate no zinco/ Do meu barracão/ Já sei que ninguém vem cantar/ Que solidão/ Hoje ninguém vem sambar/ Que desilusão/ Sinto até vontade de chorar/ Quando aqui no morro não faz luar."

Mas naqueles meados de 62, a imensa produção de sambas de "meio de ano" era ainda quase que exclusividade das quadras e dos terreiros das escolas, ou de discos quase que folclóricos, "etnográficos", feitos e ouvidos por pesquisadores, como aquele *A vitoriosa Escola de Samba Portela*, que marcou também a estreia em disco do jovem Monarco, com "Lenço", um futuro sucesso de sua parceria com Chico Santana, da Velha Guarda da Portela, e misturava sambas de gente da geração dos fundadores, como Ventura, até as mais recentes criações de Candeia.

No botequim mesmo em que conheceu o samba, Zé Kéti ajeitou duas ou três palavras da letra, botou um "Diz que fui por aí" no segundo verso, em vez de "diga". E propôs uma segunda parte, com a melodia bem ao seu estilo, tão leve como a primeira e ainda mais otimista e popular para uma história tão triste, do sujeito que perdeu seu amor.

Tenho um violão para me acompanhar
Tenho muitos amigos
Eu sou popular
Tenho a madrugada como companheira
A saudade me dói
Em meu peito me rói
Eu estou na cidade, eu estou na favela
Eu estou por aí
Sempre pensando nela

Dali a alguns dias, Rocha e Zé Kéti foram a uma festa na Portela e cantaram o samba, já com as duas partes. Como acontecia com os bons sambas de terreiro, as pastoras logo aprenderam, sinal da aceitação e de sucesso na rigorosa crítica espontânea das quadras das escolas. Coautor do vitorioso samba da Portela naquele ano, "Rugendas: Viagens pitorescas pelo Brasil", Zé Kéti estava por cima, pelo menos da quadra da escola para dentro. Nem fundador nos anos 1920 nem da nova geração, ele havia chegado à escola de Oswaldo Cruz nos anos 1940 e sua relação com a Portela era de fases — chegou, uns anos antes, a ficar afastado, na coirmã União de Vaz Lobo —, e aquela era uma fase boa. Fora da escola, no entanto, esse sucesso interno poderia nada significar se algum cantor famoso, no seu caso um Jorge Goulart, uma Linda Batista, que o gravavam desde o início dos anos 1950, não resolvessem cantá-lo, ou um Jamelão, também oriundo do samba, que havia estourado com a sua "Leviana", em 54.

Mas justamente naquele ano de 62 as coisas pareciam estar mudando. Apresentado, a pedido de Vianinha, pelo jovem jornalista Sérgio Cabral, já especializado em samba e Carnaval, a Cartola, Ismael Silva, Nelson Cavaquinho e Zé Kéti, o compositor da bossa nova Carlos Lyra, diretor musical do CPC e com a tal missão de valorizar a música do povo — àquela altura já estava decidido que, em termos urbanos seria o samba, e mais especificamente o "samba de morro", eufemismo nem sempre preciso para a criação de compositores ligados às escolas de samba —, organizou um show deles no CPC. Sucesso total, a estudantada burguesa ficou evidentemente impressionada com a qualidade dos sambas apresentados. Com Zé Kéti, Carlinhos Lyra estabeleceu inclusive a partir dali uma espécie de pacto informal: "Ele fez um trato comigo: de eu levá-lo para as escolas de samba e ele me levar para a Zona Sul, para a rapaziada da força."

Na verdade, Zé Kéti nem precisava disso para se aproximar dos intelectuais do CPC, ele circulava com desenvoltura naquele meio já havia quase dez anos. Tudo começou mais ou menos quando o jovem cineasta paulista Nelson Pereira dos Santos chegou ao Rio com uma missão mais ou menos parecida com a de Carlos Lyra, então — não fossem ambos militantes do velho PCB, como também, Sérgio Cabral, Vianinha, Leon Hirszman, Ferreira Gullar e quase toda a rapaziada do CPC, o partido imbuído havia tempo da ideia de valorizar a cultura brasileira popular, a arte "do povo": no caso, fazer um filme "popular". Dominado, no Rio, pelas chanchadas da produtora Atlântida, que em muitos casos parodiavam filmes americanos, e em São Paulo pelos dramas da Vera Cruz, que imitavam a estética dos filmes europeus, o cinema brasileiro de 1953 precisava, segundo Nelson, se tornar moderno e popular. Nelson olhava para o lado e via Jorge Amado na literatura, Nelson Rodrigues no teatro, Di Cavalcanti na arte, Villa-Lobos na música e no cinema, nada, só paródias e imitações.

Chegou ao Rio no fim de 1953 para contar, inspirado nos filmes de rua do cinema neorrealista italiano, várias histórias guiadas por cinco meninos vendedores de amendoim que, pela natureza de seu trabalho, espalhavam-se pela cidade. Precisava de uma trilha sonora compatível com seu filme popular. E não paravam de lhe dizer que, no Rio, música popular de fato seria o samba. Apresentado a Nelson Pereira dos Santos pelo jornalista Vargas Júnior, que o ouvira cantar no Café Vermelhinho, bar que era reduto de artistas em frente à Associação Brasileira de Imprensa (ABI) no Centro do Rio, um samba espetacular que já estava virando lenda entre seus pares, Zé Kéti não apenas emplacou o tal samba como o tema principal do filme, como acabou também entrando para a equipe. Transferiu-se com a família para o quartel-general da produção, um apartamento na praça da Cruz Vermelha, também no Centro da cidade, e, além de fazer a música, ganhou outras funções: de "consultor" de Nelson para assunto de cultura popular e samba (há no filme uma cena em que artistas da "Escola de Samba Portela" se apresentam), de assistente de câmera e até de cozinheiro — seu macarrão ao alho e óleo que alimentava a equipe (pura e simplesmente isso, porque a produção era pobre) também viraria quase uma lenda.

Quando em 1955 o filme finalmente estreou, depois de passar quase todo o ano de 54 censurado pela polícia com o argumento de que no Rio a temperatura não chegava a 40 graus, causaria imenso impacto. Logo no começo, uma imagem aérea do Pão de Açúcar antecedia a vinheta inicial que dizia: "Nelson Pereira dos Santos apresenta: A cidade de São Sebastião do Rio de Janeiro em Rio, 40 graus." Esse simples gesto, o de transformar a cidade, o povo da cidade, em protagonista já seria revolucionário em si, a inspiração para o Cinema Novo que em 62 estava finalmente sendo gestado pelos cineastas ligados ao CPC. A melodia que servia de trilha sonora para tal filme, para tal revolução, era ela: a composição de Zé Kéti apresentada a

Vargas Júnior no Café Vermelhinho, "A voz do morro", orquestrada grandiosamente por Radamés Gnattali.

O samba, também cantado no filme, foi logo gravado por Jorge Goulart e fez imenso sucesso até no Carnaval — embora fosse um samba de meio de ano. Clássico instantâneo, tido por muitos como o mais importante da história do samba, a música de Zé Kéti ajudou a consolidar o conceito de "samba de morro" logo nos seus primeiros versos, quase um programa político para o gênero musical carioca por excelência: "Eu sou o samba/ A voz do morro sou eu mesmo, sim senhor/ Quero mostrar ao mundo que tenho valor/ Eu sou o rei dos terreiros/ Eu sou o samba/ Sou natural aqui do Rio de Janeiro/ Sou eu quem leva a alegria/ Para milhões de corações brasileiros".

O passo grandioso de Nelson e do filme — colocar o povo como protagonista da história — era seguido pela canção-tema — dizer que a voz desse povo era o samba.

A coisa deu tão certo que Zé Kéti não apenas permaneceria na turma do cinema, como também sua participação no filme seguinte seria ainda mais fundamental. Pode-se dizer que ele foi mesmo a inspiração do filme *Rio, Zona Norte*, sobre um sambista anônimo, vivido por Grande Otelo, que sonha em ver sua música interpretada por uma grande cantora, Ângela Maria, mas é enganado por um produtor inescrupuloso (Paulo Goulart). Para esse segundo filme, Zé Kéti fez várias músicas, entre as quais um clássico do futuro "samba de morro", "Malvadeza durão". Ele ainda participaria como autor de canções, assistente de alguma coisa ou mesmo ator de diversos filmes do Cinema Novo.

Mas agora o negócio era diferente. Embora todos fossem oriundos da classe média, os cineastas andavam num meio pobre, ainda semiprofissional, que era o do cinema de autor no Brasil — e o famoso macarrão ao alho e óleo de Zé Kéti era um símbolo disso, de fato era ele quem enchia a pança da equipe ao fim das filmagens. Tanto que o muito dinheiro que ele ganhou com "A voz do morro" e lhe permitiu levar a família para viajar, passear em São Paulo, não foi pelo filme, que só deu fama e prestígio para o samba, mas pelos direitos autorais advindos da gravação de Jorge Goulart e das dezenas de outras que vieram logo depois.

A "rapaziada da força" que Carlos Lyra prometia era um outro pessoal, o da bossa nova, da Zona Sul, dos amplos apartamentos à beira-mar, das noites regadas a violão, como no morro, mas com uísque. Tanto que na primeira reunião que ele promoveu em seu apartamento de Ipanema, na rua Barão da Torre, quase foi cometida uma gafe, pois ele se preparou para oferecer cachaça e cerveja para os ilustres convidados — Zé Kéti, Cartola, Nelson Cavaquinho, entre outros — achando que seria essa a dieta etílica natural deles. Alertado pelo cantor Cyro Monteiro, ali presente, percebeu que a discriminação deveria a partir daquele momento acabar, era preciso servir os famosos uísques, como boa reunião que era da "rapaziada da força".

Nessas reuniões na Barão da Torre, violão e uísque corriam de mão em mão, como se fosse um encontro bossa-nova, enquanto Carlinhos registrava no seu gravador de fita de rolo portátil, da marca Geloso, todos os sambas apresentados pelos convidados.

"Minha intenção era aprender, absorver os ensinamentos, inclusive melódicos e harmônicos. Eu queria aprender a fazer aquilo que eles faziam, da forma que eles faziam", diz Lyra, refletindo a grande diferença estética que na época parecia haver entre os sambas de apartamento da bossa nova e os sambas "de morro" das escolas de samba.

Foram essas fitas do gravador Geloso de Carlos Lyra que caíram nos ouvidos de Nara Leão, enquanto ela já estava em crise com o repertório de bossa nova e em contato com os cineastas do então nascente Cinema Novo. Como acontecera com Nelson Pereira dos Santos, com os intelectuais e cineastas comunistas do CPC, com Carlinhos Lyra, agora era ela quem estava vidrada nos sambas dos compositores dos morros e das escolas de samba.

"Eu descobri um outro lado da vida e do mundo, que não era só o sorriso, a flor e o amor. E eu fiquei muito impressionada com coisas que eu não sabia e descobria naquele momento: descobri que havia fome, descobri que havia morro, eu descobri que havia pessoas pobres. Eu nunca tinha me dado conta", descreveria Nara esse seu momento que ela reconhece como muito pessoal, particular.

E foi justamente nesse momento de convívio de Nara com os cineastas e no qual ela ouvia sem parar a fita gravada por Carlos Lyra que Aloysio de Oliveira a convidou para gravar um disco na sua nova gravadora, a Elenco, coisa que em princípio a empolgou.

"A Elenco eu acho que teve uma importância muito grande, o Aloysio de Oliveira juntou todo mundo, conseguiu ter uma nova visão sobre a música popular brasileira", recordaria Nara. "Mas nessa altura eu tinha descoberto a música de protesto e o samba do morro, então meu primeiro disco já foi com samba de morro, com 'Diz que fui por aí'."

Nara havia se encantado especialmente com o samba de terreiro que o Rocha e o Zé Kéti tinham feito naquele botequim de Madureira. A partir dali, e por intermédio de Carlos Lyra, ela conheceu pessoalmente os sambistas da fita. Chegou a organizar reuniões musicais em sua casa, no mesmo salão diante do mar de Copacabana que viu varar pelas madrugadas as célebres reuniões da Bossa Nova, a partir de 57.

Era isso que Zé Kéti via como "a rapaziada da força" que Carlos Lyra havia prometido. Afinal, ele cumprira sua parte, levando Lyra às escolas de samba.

A partir das reuniões na casa de Nara, no entanto, o pacto ganhou outra dimensão. O estoque de uísque do dr. Jairo Leão, oferecido sem restrição pela filha, que não bebia, aos novos amigos foi o primeiro a sentir o impacto. Logo, os amigos mais próximos de Nara perceberiam a sua mudança de cabeça e de repertório. Mais tarde, Aloysio de Oliveira, toda a cidade e todo o país, sem exageros, conheceriam a força de "Diz que fui por aí" cantada por Nara Leão.

"A Nara me convidou para ir na casa dela conhecer Cartola, Nelson Cavaquinho e Zé Kéti. Mas eu disse pra ela: estou cansado de conhecê-los", lembra Cacá Diegues, que, como era da turma do cinema, já conhecia Zé Kéti dos filmes e frequentava as feijoadas de samba que Cartola promovia na sede da Associação das Escolas de Samba, onde morava de favor, na rua do Rezende. "Mas para Nara, e para o pessoal da bossa nova, era uma novidade impressionante."

Cartola, que já fizera uma participação especial como ator no célebre *Orfeu do carnaval*, filme do francês Marcel Camus inspirado na peça de Vinicius de Moraes ganhador em 1959 do Oscar de Melhor Filme Estrangeiro e da Palma de Ouro no Festival de Cannes, estava no elenco primordialmente negro que Cacá estava montando para o que seria seu primeiro longa-metragem, *Ganga Zumba*.

Mas o mundo cultural brasileiro, nem mesmo a sua sofisticada música popular, ainda não era nem de longe tão aberto esteticamente como o vanguardista Cinema Novo.

"E eu tive muitos problemas, porque o Aloysio na época não aceitava", disse Nara. "Ele acabou aceitando porque eu era teimosa, era aquilo e não tinha jeito."

Como fizera com a "Marcha da Quarta-feira de Cinzas", Nara primeiro se apropriou de "Diz que fui por aí" com o seu violão e tocava nas reuniões da rapaziada, para encantamento de todos. Aquele samba de terreiro ficava muito bem no seu jeito de cantar e tocar. Mas, talvez pelos embates com Aloysio, que queria em princípio um disco mais bossa-nova, e ela, que queria um disco quase que totalmente oposto à bossa nova, ela tenha subestimado a intuição do produtor.

Quando venceu a parada com Aloysio e foi gravar "Diz que fui por aí" no estúdio da Rio Som, o produtor e seu diretor musical, o maestro Gaya, propuseram um novo e inesperado caminho para a gravação de um samba de terreiro da Portela pela "musa" da Bossa Nova.

"Eu tenho um violão para me acompanhar"

Aluno, como Nara, do maestro Moacir Santos, mas já um músico conhecido por tocar guitarra elétrica em boates e bailes, o cearense Geraldo Vespar não era, definitivamente, um músico ligado à bossa nova. Muito menos ao samba tradicional. Naquele ano de 63, trabalhava muito frequentemente no conjunto do saxofonista Moacir Silva, que acompanhava a cantora Elizeth Cardoso e, com o pseudônimo Delano, tocava em orquestras um repertório de *standards* de jazz. Naquele ano mesmo, com a Orquestra Milionários Del Rio, lançara o disco *Bronzes e cristais*, na mesma gravadora de Elizeth, a Copacabana. Era um típico músico profissional, ainda muito jovem, mas com muita experiência e já algum estudo — que mais tarde seria aperfeiçoado até na célebre escola Berklee, em Boston, e na escola de música da UFRJ.

Guitarrista de Gaya em diversas gravações, foi ele o encarregado de fazer o arranjo e tocar o violão de "Diz que fui por aí". Decisão visionária.

Acompanhado apenas por um contrabaixo acústico tocado por Gabriel Bezerra e por uma bateria tocada por João Stockler, o veterano Juquinha, Geraldo Vespar fez o samba de terreiro com harmonia de jazz e a parte rítmica com um balanço moderno, sim, mas não bossa-nova, de um outro jeito, que dá a sensação de que o samba está suspenso no ar, conduzido pelos acordes de forma livre, com a marcação feita por algumas convenções durante o arranjo, violão, baixo e bateria tocando juntos. A bateria é levíssima, levada praticamente só nos pratos, e o violão, com uma execução firme, em geral cria contracantos para a melodia, da mesma forma que a orquestra na "Marcha da Quarta-feira de Cinzas".

Na segunda parte, justamente a escrita por Zé Kéti — "eu tenho um violão para me acompanhar" —, o violão assume uma linguagem mais bossa-nova, como se quisesse emular o jeito da própria Nara, inspirada em João Gilberto, de tocar. E de talvez agradar a Aloysio de Oliveira.

O resultado não poderia ser mais original, como se todos os intensos desejos de cada um dos envolvidos nas armações que geraram o momento daquela gravação — o de Hortêncio Rocha de ver seu samba cantado, o de Zé Kéti de ser reconhecido pela "rapaziada da força", o de Carlos Lyra de promover a música do povo, o de Nara em cantar coisas do mundo que acabara de descobrir, o de Aloysio de ser, com Nara, de alguma forma bossa-nova — estivesse traduzido naquela faixa 2 do lado A de *Nara*.

Nem um pouco por acaso, "Diz que fui por aí" seria não apenas o maior sucesso imediato do disco, mas um dos maiores êxitos da música brasileira do ano de 64. Aloysio percebeu o potencial da gravação e lançou a música antes, como lado A de um compacto simples, o que aumentaria a circulação do samba.

As notas de jornal pipocavam: um enciumado Cyro Monteiro — que conhecera a música antes de Nara — também iria gravar aquele tremendo sucesso. E o fez, assim como vários outros cantores de samba, entre eles, Elizeth Cardoso — em arranjo igualmente moderno do conjunto de Moacir Silva, com o mesmo Geraldo Vespar, só que na guitarra elétrica —, Isaurinha Garcia, Jair Rodrigues, Helena de Lima, até Agnaldo Rayol gravou-o em seu disco anual.

Geraldo Vespar gravaria naquele ano, também com arranjos de Gaya, dois discos de música moderna, *Take five*, com *standards* de jazz e da bossa nova, e *Samba nova geração*. Ficaria marcado a vida inteira por fazer arranjos diferentes e modernos para artistas de samba, sem perda de autenticidade e tendo como marca a sua maneira de acompanhar samba ao violão — produziria e arranjaria discos de cantoras como Clara Nunes e Beth Carvalho.

Puxado pelo sucesso do samba de Zé Kéti, *Nara* em duas semanas já estava entre os dez LPs mais vendidos, de acordo com a parada de sucessos publicado pelo jornal *O Globo*, mesmo com as limitações de distribuição da Elenco, perdendo entre os discos brasileiros apenas para o de Roberto Carlos, aquele do *É proibido fumar*. Uma nova era para o samba parecia estar começando, de onde talvez menos se esperasse.

O Zicartola, em noites comandas por Zé Kéti, começava a, mais que lotar, transbordar de gente, o que beneficiaria a vizinha Gafieira Estudantina, que até então andava às moscas, e sofreria uma revitalização, em princípio, com as sobras de público do Zicartola.

Com o fim abrupto do CPC, depois do 1º de abril de 1964, as noites de música e conversas de cultura transferiram-se da Praia do Flamengo para a rua da Carioca, novo reduto do que sobrou daquela esquerda. Grande parte da "rapaziada da força" passou a frequentar o modesto sobrado de Zica e Cartola, num movimento que mudaria a noite carioca para sempre, tendo diversos desdobramentos para a cultura brasileira.

Não demorou muito para, com a casa cheia de gente não habituada à etiqueta de se frequentar o samba, o Zicartola precisasse estabelecer algumas regras e organizar, durante a semana, sua grade de programação. A primeira proibição foi de "bater em copos, garrafas e mesmo nas mesas". "Nas sextas-feiras, que passarão a se chamar Noites de Samba, ninguém poderá cantar, a não ser os convidados a se exibirem", já anunciaria a casa no dia 16 de abril. Para dar conta da algazarra do novo público foi criada a Noite do Ensaio, às segundas, onde aí valia tudo, batucar, cantar sucessos antigos, música de Carnaval etc. Às terças, a Noite Carioca seria dedicada aos compositores das escolas de samba; na quarta, a Noite de Homenagens, em que seriam recebidas personalidades — até Tom Jobim tocaria na casa numa noite dessas, a uma mesa da qual fizeram parte, além de Nara, Dorival Caymmi, Odete Lara, Billy Blanco, todos recebidos por um Cartola emocionado. Quinta-feira seria dedicada à Noite da Saudade, sempre com Donga, Pixinguinha e o pessoal da Velha Guarda, e assim por diante.

Os jornais atribuíam isso em grande parte ao sucesso dos "sambas puros" no LP de Nara. "Aliás, do LP gravado por Nara Leão, as músicas de sucesso mesmo são as do samba puro", comentava a coluna de samba do *Jornal do Brasil*, que anunciava as novas diretrizes do Zicartola — coincidentemente, como acontecia desde que Zé Kéti anunciara, dois meses antes, no mesmo dia a abertura da casa e o lançamento do disco, que dificilmente se falasse de um sem mencionar o outro.

O encontro com "a rapaziada da força" não parava de dar frutos. O sucesso das músicas dos sambistas, principalmente o "Se alguém perguntar por mim", apelido de "Diz que fui por aí" que pegou sobretudo em São Paulo, e a fama das noites vibrantes do Zicartola, fizeram com que Cartola, Zé Kéti, Nelson Cavaquinho, Elton Medeiros e a cantora Janúsia, que comandava as noites de terça-feira, fossem fazer um programa de TV em São Paulo. Lá, foram convidados para reproduzir as noites do Zicartola no prestigiado João Sebastião Bar, casa dedicada a jazz, bossa nova e música sofisticada em geral, sempre iluminada à luz de velas, que oferecia um milhão de cruzeiros para uma temporada de 15 dias dos sambistas cariocas por lá.

Se a "rapaziada da força" do Rio era boa de uísque, vista pro mar e prestígio, em São Paulo, estava comprovado, era onde estava a "erva", como se dizia na época, e Cyro Monteiro cantava num samba que Baden e Vinicius fizeram para ele. "Esse negócio de que santo de casa não faz milagre é certo mesmo" — festejava Zé Kéti. "Aqui no Rio todo mundo acha a gente genial, muito bom, fabuloso etc. Mas ninguém procurou os nossos sambas."

A não ser Nara, evidentemente. Tanto que, embora com críticas em geral muito positivas e surpresas em relação ao seu primeiro LP, pelo menos um crítico importante, Sérgio Bittencourt em sua coluna em *O Globo* não perdia a oportunidade de desancar Nara de forma contumaz e até grosseira. Coisas como "a srta. Nara Leão, na sua desafinação, na sua voz falsete, na sua inautenticidade". Sérgio, que também era (bom) compositor, filho do irascível e genial Jacob do Bandolim e amigo de Zé Kéti, certa vez cruzou com ele por acaso na rua e levou uma chamada. "Para com isso de falar mal da Nara, ela é a única que foi gravar nossas músicas", apelou Zé Kéti.

Para desespero de Sérgio Bittencourt, que não parou de falar mal da cantora, Zé Kéti e Nara Leão não se largariam por um bom tempo — ela se apresentaria algumas vezes no Zicartola, em shows presenciados por Ferreira Gullar, Vianinha e a turma do CPC e do Teatro de Arena, e outro samba feito por ele, e cantado por ela, "Opinião", estaria na gênese do passo seguinte deles.

E assim como o samba, a tal música de apartamento da bossa nova também nunca mais seria a mesma. Afinal, o estoque de novidades de Nara em seu primeiro disco ainda estava longe de se esgotar na segunda faixa.

4. "E salve o morro, cheio de glória"

A cena toda parecia irreal.

"Assim não dá, vocês estão peitando os homens. Isso aqui ó..."

E Carlos Lyra vai ler o trecho da letra que havia irritado tanto o policial: "Chora, mas chora rindo/ Porque é valente e nunca se deixa quebrar."

O tal verso de "O morro (Feio não é bonito)", de Gianfrancesco Guarnieri para o seu samba, referia-se evidentemente ao "morro" do título, clara metonímia para povo brasileiro. Era o povo, não precisava pensar muito, que era "valente e nunca se deixa quebrar". Num gesto de desespero vem a ideia de confrontar o censor pela via do absurdo.

"Então se eu mudar para o contrário fica bom?" E o homem sorriu. "Então escreve aí: 'porque é covarde e sempre se deixa quebrar'."

"Ah, não, aí não dá, o povo não é covarde", retrucou o policial.

"Então está bom como estava antes, não? Vamos deixar como estava?", retrucou o embasbacado compositor.

"Vamos, sim."

A anedota, absolutamente verdadeira, se passou entre Carlos Lyra e o censor Augusto Costa, o Augusto, ex-jogador do

Vasco, capitão da seleção brasileira na Copa de 1950 que, ao se aposentar do futebol ingressou na polícia e se tornou censor, o que só aumentava a estranheza da cena — não bastasse perder a copa e provocar um trauma em todo o país, ainda queria censurar uma canção?

Fora o mesmo Augusto que, dois anos antes, vetou *Os cafajestes*, o filme de Ruy Guerra, "em todo o território nacional" pelo nu frontal de Norma Bengell. E que teria longo currículo de proibições durante o regime militar que estava prestes a se instaurar. Mesmo ainda não institucionalizada, como aconteceria a partir da decretação do AI-5, no fim de 1968, a censura exercida pela polícia nunca deixou de funcionar e, de vez em quando, aporrinhar os artistas.

Liberada a música, uma frase de Augusto, contudo, ficou marcada na cabeça de Carlos Lyra, "vocês estão peitando os homens...". Afora toda a burrice, da intenção da censura até a aceitação do argumento que liberou a canção assim como ela era, "peitando os homens" e tudo. Algo perigoso parecia estar em gestação. E estava: "ninguém ouve cantar canções", já adivinhava Vinicius na "Marcha da Quarta-feira de Cinzas".

O pior é que a canção gravada por Nara Leão em seu primeiro disco, e que chamou tanto a atenção de Augusto, nem inédita era. Fora feita uns dois anos antes para o filme *Gimba — Presidente dos valentes*, estreia na direção cinematográfica do diretor de teatro Flávio Rangel, sobre a peça escrita por Gianfrancesco Guarnieri, encenada em São Paulo, em 1959. No filme, a música, um "samba de morro" típico da estética do CPC, era o tema principal, tocado pelo violão de Baden Powell e cantado, vejam só, por Zé Kéti, que também trabalhava de ator no filme, em mais uma incursão do compositor no cinema brasileiro.

Naquele ano de 63, "Feio não é bonito" também teve sua primeira gravação comercial, feita pelo especialista no gênero Jair Rodrigues, até que com relativo sucesso. Mas em sua versão, toda a primeira parte, justamente a que emula um samba-enredo, foi retirada. Ele retirou justamente "O morro", ou seja, toda a primeira parte, e só gravou "Feio não é bonito".

Era, portanto, muito necessário que ao fazer um disco com aquele espírito, Nara Leão a gravasse na íntegra, como havia sido composta para o filme.

Na verdade, "O morro (Feio não é bonito)", como seria finalmente registrado na contracapa e no selo do disco da Elenco, composição de Carlos Lyra e Gianfrancesco Guarnieri, talvez seja a canção que melhor encerre o conceito de *Nara*, o LP. O samba, na realidade, remete diretamente às origens do processo cultural que culminaria no primeiro disco de Nara Leão.

Talvez o início de tudo esteja aí, no Teatro de Arena de São Paulo no fim dos anos 1950, o grupo criado pelos atores e autores Guarnieri e Vianinha, por diretores como Augusto Boal, José Renato e Chico de Assis e toda uma geração de atores cuja preocupação — para se diferençar do teatro convencional feito em São Paulo naquele momento, de óbvia inspiração europeia — era dar corpo e voz a homens e mulheres brasileiros, contar histórias brasileiras, praticamente fundar uma nova estética dramatúrgica (não muito diferente da proposta de Nelson Pereira dos Santos e dos jovens cineastas que fariam o Cinema Novo).

Convidado por Chico de Assis, Carlinhos Lyra chegou a ser diretor musical do Teatro de Arena, onde conheceu Guarnieri e começaram uma parceria. Em princípio, eles resolveram criar uma peça chamada *Missa agrária*, numa piada interna que remetia à formação jesuíta do compositor e à origem socialista do dramaturgo. Não deu certo — sobrou apenas um fragmento de canção que anos depois faria parte do espetáculo *Opinião*, estrelado por Nara, como introdução ao "Carcará", de João do Vale —, mas o socialista converteu o católico, que lá mesmo no Arena se filiou ao Partido Comunista Brasileiro, e ficaram amigos para sempre.

Depois de trabalhar em algumas peças, Carlos Lyra voltaria ao Rio em 1960 quando, por diferenças políticas, o Teatro de Arena sofreu uma cisão e parte do grupo transferiu-se para a cidade, onde aconteceu a estreia daquela ambiciosa peça de Vianinha com música de Carlos Lyra, *A mais-valia vai acabar, seu Edgard*, título mais comunista impossível, referindo-se ao próprio conceito marxista do lucro que o capitalista tem a partir da exploração do trabalho, base do sistema capitalista.

Apesar da excessiva seriedade de propósitos e da causa, a peça era ótima e foi um sucesso quando encenada no teatro de arena disponível no Rio, o anfiteatro da Faculdade de Arquitetura da UFRJ, na Urca, no mesmo ano e no mesmo lugar do primeiro show de bossa nova, numa confluência astral que parecia apontar diretamente para a figura de Nara Leão. Que, aliás, da plateia, assistiria aos dois espetáculos — o show dos seus amigos da bossa nova, e à peça de seus futuros parceiros do Teatro de Arena.

Esse espírito da chegada do Teatro de Arena ao Rio no teatro dos estudantes antecedeu, em espírito e na prática, a criação do Centro Popular de Cultura dentro da UNE. O CPC faria peças de Vianinha, traria para a Zona Sul e para os estudantes de classe média os sambistas de morro e das escolas de samba, produziria o filme revolucionário *5 vezes favela*.

Nara foi, nesse sentido, talvez a mais autêntica das filhas do CPC. Ou foi, ao menos, conscientizada por ele.

Gimba, o filme, traz todos esses elementos. É, antes de tudo, uma peça do Teatro de Arena transformada em cinema. Cinema Novo. O ambiente é uma favela carioca, o herói é um marginal, vivido pelo ator Milton Moraes, um favelado que volta para o seu morro, querendo genuinamente abandonar o crime, mas é envolvido por um cerco policial.

As filmagens se deram no morro de Mangueira, um dos redutos do samba, entre novembro de 1962 e janeiro de 63. Mais ou menos no momento em que Carlos Lyra e Vinicius faziam o Hino da UNE e a "Marcha da Quarta-feira de Cinzas". Para o filme, Zé Kéti fez a canção-título, "Gimba", o que aumenta ainda mais as semelhanças com o projeto do CPC.

Mas, como reconheceria anos depois o próprio diretor, Flávio Rangel, numa entrevista ao seu colega de CPC Ferreira Gullar, algo no filme não deu certo e a resposta do público foi morna, o filme seria rapidamente esquecido. "Não é um filme assim desprezível, não. É um filme correto. Conta sua história corretamente. Falta alguma coisa a ele. Falta aquilo que o espetáculo no teatro tinha, talvez. Falta vibração."

Logo no início das filmagens, a revista *Manchete* fez uma reportagem afirmando que o que se estava filmando no morro de Mangueira seria uma espécie de *Porgy and Bess* brasileiro, referindo-se à ópera de George Gershwin que havia sido levada ao cinema por Otto Preminger em 1959. Não aconteceu nada próximo disso, a não ser o que de mais relevante sobrou do filme, depois do resultado morno: a música.

"O filme não é ruim", insistia Flávio Rangel, "tem uma música lindíssima, que até hoje é muito famosa, uma música do Carlos Lyra com letra do Guarnieri, que era tocada no filme pelo violão do Baden Powell, que é aquela: 'Feio, não é bonito...'"

Coube, portanto, a Nara Leão, por tudo, imortalizar o lindíssimo tema de *Gimba*. E, ao contrário da gravação original de Jair Rodrigues, sem cortar a primeira parte. Como no arranjo da "Marcha da Quarta-feira de Cinzas", Gaya criou uma introdução de sopros, aproveitando a melodia do refrão. E a primeira parte, como se fosse o fragmento de um samba-enredo — mas na verdade funcionando como um recitativo de ópera, ou uma introdução à canção, como era comum nos espetáculos da Broadway —, era uma exaltação do morro, cantado não por Nara, mas por um coro feminino emulando pastoras de uma escola de samba. Ou seja, dando voz, puro CPC. A melodia de Carlos Lyra ele aprendeu das músicas de morro que registrou no gravador Geloso, assim como a letra de Guarnieri, que em seis versos tentam resumir os assuntos recorrentes nos sambas-enredos das escolas.

Salve as belezas desse meu Brasil
Com seu passado e tradição
E salve o morro, cheio de glória
Com as escolas
Que falam no samba
Da sua História

Como nas outras canções de inspiração popular, a segunda parte, já inteiramente cantada por Nara, se encaminha para um samba estilizado, quase bossa-nova. O arranjo de Gaya, bem ao seu estilo, utiliza tudo a que tem direito de uma orquestra, mas com uso parcimonioso dos elementos, em geral contracantos nos espaços deixados pela melodia, às vezes os sopros conduzindo a harmonia, e sempre uma percussão tradicional de samba, levada de forma muito suave. A letra de

Guarnieri, como que comentando arranjo e melodia, estabelece a contradição do pensamento daquela própria classe média de esquerda encantada com a beleza e a criatividade do morro que, no entanto, não altera a estrutura social, e que faz, daquelas comunidades, lugares insalubres de se viver e de se ver. Contraditoriamente algo que é belo, e deve ser exaltado, mas que é feio, e deve ser transformado.

> Feio, não é bonito
> O morro existe, mas pede pra se acabar
> Canta, mas canta triste
> Porque tristeza é só o que se tem pra contar
> Chora, mas chora rindo
> Porque é valente e nunca se deixa quebrar
> Ama, o morro ama
> O amor aflito, o amor bonito
> Que pede outra história

"O morro (Feio não é bonito)" é, nesse sentido, a mais cepecista das canções do disco. O CPC, em pouquíssimo tempo, apenas nos três anos anteriores, havia criado uma escola, da qual Nara havia se tornado, como intérprete, discípula. Mas o CPC já tinha gerado, assim tão rapidamente, filhos. Caberia a Nara, também em seu primeiro disco, revelá-los.

5. "Pois o amor é uma luta que se ganha"

Das últimas coisas que aconteceram no Teatro da UNE, antes de o prédio ser incendiado na manhã de 1º de abril de 1964, foi o elenco de *Os Azeredos mais os Benevides* entoando em coro, no ensaio da noite de 31 de março, "Chegança", a canção que abriria a peça de Vianinha, então sendo produzida pelo CPC.

> Trazendo na chegança:
> Foice velha
> Mulher nova
> E uma quadra de esperança

Não deixa de ser irônico que a última peça do CPC, o último gesto do CPC, a última canção cantada naquele teatro seja composta por "uma quadra de esperança". Pois era disso que se tratava.

Inspirado no teatro épico de Bertolt Brecht, Vianinha criou uma história ambientada na Bahia do início do século XX sobre a improvável amizade de um jovem "doutor" — Espiridião, herdeiro que volta da cidade para cuidar das terras e da plantação de cacau da família — com um também jovem camponês, Alvimar, que se dedica, juntamente com sua família, a trabalhar com afinco nas terras do patrão. Como no teatro brechtiano, a história passada sessenta anos antes queria tratar da atualidade: a reforma agrária, a exploração do trabalho, a expulsão do homem do campo (que nos anos 1960 começava a inchar as periferias das cidades), a manipulação política. Mas, talvez ainda mais, queria tratar do próprio CPC e dos estudantes: seria possível uma verdadeira, ainda que improvável como a da peça, "amizade" entre os jovens doutores estudantes de classe média com os trabalhadores, em função de uma transformação social?

Mas antes da chamada "quarta parede" ser quebrada e o público de estudantes "entrar" (mais do que apenas assistir) em *Os Azeredos mais os Benevides*, os reacionários trataram logo de cortar o mal pela raiz: destruíram o teatro.

O trauma foi tão grande que, quando a peça finalmente teve sua primeira montagem profissional, cinquenta anos depois, o diretor João das Neves ainda falava da memória viva, do calor na pele que sentiu ao deixar o prédio da UNE sendo incendiado naquela inesquecível manhã de abril.

Mesmo Edu Lobo, que por acaso não estava lá no ensaio, mas em casa preparando outras músicas para a peça, ficaria tão traumatizado que simplesmente esqueceria tudo que estava fazendo e o que já havia feito em termos de música para o texto de seu parceiro Vianinha. Daquela que seria a primeira montagem de *Os Azeredos mais os Benevides* sobrou somente "Chegança", a canção de Edu Lobo e Vianinha que, talvez não pudesse ter outro destino, seria gravada por Nara Leão no fim de 64 em seu segundo disco, *Opinião de Nara*.

Naquele 1º de abril de 64, no entanto, o Edu dos amigos e do pessoal da música, para o mundo ainda era Eduardo Lobo, como seu nome fora grafado na contracapa e no selo do primeiro LP de Nara, a primeira cantora a gravar músicas suas, a rigor o grande lançamento do disco como compositor: "Canção da terra" e "Réquiem para um amor", ambas de sua recente parceria com Ruy Guerra, namorado de Nara.

"Chegança", feita depois, em consonância com a peça, era de nítida inspiração nordestina, ecoava incelenças, um canto algo religioso na primeira parte; e algo como uma quadra de repente, na segunda. Era uma canção sertaneja, de todo modo, ou seja, totalmente no espírito do programa do CPC estabelecido por Carlos Lyra a partir das orientações do partido e da direção do Centro Popular de Cultura. Se a música popular urbana brasileira, a música operária, tinha no samba "de morro" a sua melhor expressão, a música camponesa brasileira seria o conjunto de gêneros e ritmos nordestinos, sobretudo os do sertão, onde se davam de forma mais acirrada os conflitos de terra no Brasil. E onde a miséria decorrente da profunda desigualdade social do país era mais evidente.

Se Zé Kéti seria o compositor operário por excelência, eleito por Carlos Lyra, o modelo de compositor "camponês" seria o maranhense João do Vale, com seus xotes de acurada observação social e do comportamento sertanejo. Ambos, Zé Kéti e João do Vale, tinham semelhante condição profissional, eram uma espécie de proletários da música, compositores bem estabelecidos e gravados pelos grandes intérpretes havia pelo menos dez anos, mas que, no entanto, ainda não eram conhecidos nem muito menos usufruíam o melhor rendimento de seus trabalhos. Eram autores e personagens ao mesmo tempo.

No tal *Opinião de Nara*, em que lançaria "Chegança", ela gravaria novamente Zé Kéti, o samba político "Opinião" ("Podem me prender/ Podem me bater/ Podem até deixar-me sem comer/ Que eu não mudo de opinião/ Daqui do morro eu não saio, não") e o "social" "Acender as velas" ("Acender as velas/ Já é profissão/ Quando não tem samba/ Tem desilusão"). E também gravaria João do Vale, um xote didático sobre reforma agrária, "Sina de caboclo" ("Eu sou um pobre caboclo/ Ganho a vida na enxada/ O que eu colho é dividido/ Com quem não plantou nada"). Do interesse e da observação de Nara sobre Zé Kéti e João do Vale nasceria a partir desse segundo disco o musical *Opinião*, no qual a linguagem teatral do CPC encontraria de vez a música popular, renovando a linguagem do moderno teatro musical brasileiro, tendo Nara, Zé Kéti e João do Vale como protagonistas e Vianinha como um dos autores.

No dia 1º de abril de 1964, no entanto, enquanto o prédio da UNE ainda ardia e a peça *Os Azeredos mais os Benevides* era subitamente cancelada, mesmo a meros oito meses e dez dias da estreia do *Opinião*, isso nem era sequer ainda um embrião.

Festinhas ininterruptas

Se naquele 1º de abril Carlos Lyra estava atônito em casa ainda tentando entender como Vinicius previra o golpe militar na letra da "Marcha da Quarta-feira de Cinzas", poderia pensar que a sugestão que ele deu a Vianinha de que convidasse Edu Lobo para fazer a música do que seria a última peça do CPC tinha, de certa forma, a mesma origem: o súbito encantamento que, na virada de 1962 para 63, o próprio Vinicius tivera pelos mais jovens, fossem eles os estudantes da UNE, principalmente toda uma nova geração da música brasileira que via despontar bem diante dele — e o tendo, ele próprio, como uma espécie de epicentro.

De seu posto diplomático em Paris, Vinicius, tentando entender como tudo se dera tão rápido, escreveria no início de 1964 sobre o Carnaval de 1963, momento que sucedeu a composição do Hino da UNE e da "Marcha da Quarta-feira de Cinzas":

> A partir do Carnaval de 1963, num período de festinhas ininterruptas em que realmente se deu o encontro dos "grandes" da bossa-nova com os seus jovens epígonos, Edu Lobo fez-se logo notar por Tom, Carlinhos e Baden pela seriedade de sua composição. Em meio ao roseiral de brotos com que andávamos de casa para casa, seu violão era obrigatório. Edu destacava-se pelo comportamento impecável, pela discrição nas palavras e por uma simplicidade e modéstia naturais, mas não isentas de uma certa segurança e orgulho. Um grande garoto. Nos conquistou rapidamente a todos.

Edu lembra que essas festas não aconteceram por acaso, foram mesmo que provocadas por Vinicius. Muitos anos depois, Edu recordou:

> O mestre de cerimônias dessa época foi o Vinicius. Ele organizava essas festas em milhares de lugares, milhares de casas. A gente achava que estava se divertindo, mas, além de estar se divertindo, é claro, estávamos aprendendo, trabalhando. A gente fazia música o tempo todo, inclusive para chegar nas festinhas do Vinicius e ter o que apresentar. Lá, muitas vezes, aparecia o Tom, o Baden, o Carlinhos.

Esse fogo de Vinicius para festinhas teve múltiplas causas, mas o mergulho definitivo que o poeta estava dando na música popular parece ter sido a principal. Está certo que seu quarto casamento, com Maria Lucia Proença, não estava lá muito bem e ele preferia ficar na rua o máximo de tempo que pudesse, o que fez aumentar exponencialmente o seu potencial boêmio. Mas talvez mais importante tenha sido sua estreia oficial como cantor, em 2 de agosto de 1962, no show *Um encontro*, que ficaria dois meses em cartaz na boate Au Bon Gourmet, em Copacabana, espetáculo criado por Aloysio de Oliveira e que juntava no mesmo pequeno palco, além de Vinicius, Tom Jobim, João Gilberto e o quarteto vocal Os Cariocas, acompanhados ainda do baterista Milton Banana e do contrabaixista Otavio Bailly.

O show marcaria época na noite carioca, na música brasileira, com reflexos na música mundial, pois ali artisticamente a Bossa Nova chegava ao auge e, entre outros clássicos, era lançado "Garota de Ipanema". E cantada pelo trio que dera as bases da bossa nova, quatro anos antes: a melodia, a harmonia, o piano de Tom Jobim; a voz e o violão de João Gilberto, a poesia, definitivamente convertida inclusive formalmente a letra de música, de Vinicius.

O show foi algo tão inusitado, e não apenas pelo número de pessoas que ocupavam ao mesmo tempo o pequeno praticável da boate — baixo e bateria tinham de ficar fora do palco, Vinicius dividia o banquinho do piano com Tom quando todos estavam em cena ao mesmo tempo — nem pelo peso do talento ali reunido. Na verdade, se não era comum shows com a participação de um compositor como Tom, que não era visto nem se considerava cantor, com um poeta como Vinicius muito menos. E ainda tinha o agravante de Vinicius ser diplomata, e se apresentar numa boate poderia ferir o rígido código de conduta da *carrière*.

Participar de um show era algo tão inusitado que Vinicius em princípio recusou a proposta. "Eu fiquei apavorado. Eu gostava de cantar em casa, fazendo música com os amigos. Eu não era um cantor." Mas uma noite apareceram, na casa de

Vinicius, Aloysio de Oliveira e João Gilberto. E, naquela noite, João Gilberto disse uma coisa que Vinicius jamais esqueceria e que teria reflexos profundos na música brasileira dali em diante: "Você é musical, Vinicius, é afinado, as músicas são suas...", começou dizendo João, querendo convencer o poeta a participar do show e antes de dar a cartada final e definitiva. "E todo mundo tem o direito de cantar!"

"Todo mundo tem o direito de cantar" ficou reverberando na cabeça de Vinicius, que topou subir no palco pela primeira vez — para nunca mais sair, abrindo caminho para todos os compositores que cantavam e mesmo para cantores de voz pequena dali em diante.

O chanceler não viu com bons olhos, mas, desde que Vinicius não recebesse dinheiro para cantar, ele foi autorizado a participar do show pelo Itamaraty. Num acordo com o dono da casa, Flavio Ramos, Vinicius não recebia cachê em espécie, mas tinha o uísque liberado, para ele e seus convidados — o que, apesar do imenso sucesso do show, teria dado prejuízo, um alegre e histórico prejuízo, ao caixa do Au Bon Gourmet.

A temporada aconteceu por dois meses, mas as consequências reverberariam para sempre, a começar pelo sucesso das canções ali lançadas: além de "Garota de Ipanema", que seria gravada logo em seguida pelo cantor Pery Ribeiro, a primeira de milhares de gravações, estrearam no Bon Gourmet o "Samba do avião", "Corcovado", dois clássicos de Tom; "O amor em paz", de Tom e Vinicius; e algumas das primeiras composições de Baden Powell e Vinicius, como "O astronauta" e "Samba da benção", esta já uma declaração de amor do poeta à música popular, como que anunciando que seu futuro estaria cada vez mais nos palcos e nas festinhas e menos em lançamentos de livros.

No auge de seu prestígio no Brasil — e com seus três inventores devidamente reconhecidos e reunidos num show que nunca mais se repetiria —, o passo seguinte da Bossa Nova seria sua internacionalização. E em 21 de novembro de 62, com a presença de Tom, João Gilberto, Carlinhos Lyra e um grande elenco de músicos e compositores brasileiros, a bossa nova seria lançada internacionalmente no famoso show coletivo no Carnegie Hall, em Nova York, deixando os inferninhos, as boates e os pequenos teatros da Zona Sul do Rio liberados para uma nova geração — a geração de Edu e Nara, por exemplo.

Em *Um encontro*, Aloysio de Oliveira consolidava também um formato de apresentação musical, os chamados *pocket shows*, que se tornariam febre na cidade, produzidos o suficiente, com texto, repertório, iluminação, mas sem perder a informalidade necessária que aquele tipo de música exigia. Era como se as festinhas da casa de Nara, ou as inventadas por Vinicius, se transferissem para o palco, à vista de todos, como se o violão rodasse de mão em mão, afinal, como conceituara João Gilberto, "todo mundo tem o direito de cantar".

Outra consequência do show do Au Bon Gourmet seria o próprio lançamento da gravadora Elenco. Cansado das limitações das grandes gravadoras onde até então trabalhara, primeiro na Odeon e depois na Philips, e vendo o poder da bossa nova entre os jovens, e sua consagração internacional, a adesão de nomes como Vinicius, a qualidade e a novidade daquilo tudo, Aloysio de Oliveira sentiu que era chegada a hora de criar uma gravadora para a Bossa Nova, que, como ela, devereia ser brasileira e independente.

A própria identidade visual do show teria sérios desdobramentos, a começar pelo cartaz que ficava na fachada da boate e foi bolado, a pedido de Aloysio, pelo artista gráfico Cesar Villela sobre fotos de Chico Pereira — a mesma dupla que trabalhava com ele nas capas de disco na Odeon, inclusive dos LPs de João Gilberto. A tipologia irregular, associada a um grafismo geométrico e rigoroso, o uso do preto e branco com pequenos detalhes em vermelho e as fotos em alto-contraste, já presentes no cartaz de *Um encontro*, seriam a marca das revolucionárias capas da Elenco (inclusive e sobretudo no primeiro disco de Nara), cujo padrão foi desenvolvido pela dupla.

Mas a mais importante consequência imediata do show talvez tenha sido a transformação definitiva de Vinicius em compositor popular. Ele parece que saiu do Bon Gourmet direto para noites intermináveis de composição com seu novo parceiro, Baden Powell. E, inspirados por um disco de pontos de candomblé e toques de capoeira enviado por seu amigo Carlos Coqueijo, juiz de direito, compositor e entusiasta da bossa nova na Bahia, Vinicius e Baden começavam a fazer um tipo de samba diferente, mais "afro", mais "terra", como naquela época o poeta começava a definir, ainda sem dar um nome para o novo possível gênero que estavam desenvolvendo. O próprio "Samba da benção", harmonicamente muito mais simples do que as coisas que a bossa nova costumava produzir, baseado numa sequência de cinco acordes inspirados num toque de capoeira, já era uma novidade dessas que o show anunciara.

Com Carlinhos Lyra, Vinicius retomava a parceria não apenas com o Hino da UNE e a "Marcha da Quarta-feira de Cinzas", no início de 63, mas toda uma comédia musical, *Pobre Menina Rica*, que ele concebera a partir de uma fita de novas melodias que o compositor registrou em seu gravador — melodias que, como as de Baden, não eram mais simplesmente sambinhas bossa-nova, mas no tocante à estética totalmente abertas, com sambas, canções, mas também marchinha e xaxado. Na véspera dos seus 50 anos, Vinicius parecia redescobrir o mundo.

Foi quando, aos 19 anos, Edu Lobo esteve na plateia do Au Bon Gourmet. Umas cinco ou seis vezes, aliás. Filho do compositor e também jornalista Fernando Lobo, que era o responsável pela divulgação do show, ele entrava pela cozinha e se aboletava a uma mesa próxima e via o show com o mesmo fascínio pela música que passou a ter desde que ouvira "Chega de saudade", pouco mais de três anos antes.

> Eu ficava completamente fascinado, era muita coisa nova, o piano do Tom, as letras do Vinicius, o canto do João Gilberto — o violão do João Gilberto —, Os Cariocas com aquelas harmonias fantásticas. Ainda tinha o Milton Banana, que era um grande baterista, e Otávio Bailly tocando baixo. E era um palco pequenininho...

Foi por aí, pelos fins de 62, que Edu tomou coragem e pediu a Vinicius que escrevesse o texto da contracapa de um primeiro compacto que havia conseguido gravar na Copacabana, quatro sambinhas com letra e música suas. Nessa época, é bom frisar, nem Edu se levava tão a sério como compositor e cantor — estava começando a estudar direito na PUC, um estágio antes de fazer concurso para o Itamaraty e ser diplomata, como Vinicius —, era puro fascínio pela bossa nova que o levava para a música. Eram, como Vinicius confessaria pouco tempo depois, "sambas ainda nas fraldas, mas já indicativos do compositor cheio de bossa que deles deveria despontar com fulminante rapidez".

E, atendendo ao pedido de Edu Lobo, Vinicius escreveu uma ousada contracapa revelando toda a esperança que tinha na "garotada", na "mocidade" que estava, encantado, descobrindo naquela virada de 1962 para 63.

Edu Lobo é, pois, o ponto extremo de uma nobre linhagem de compositores que vem de Chiquinha Gonzaga, Ernesto Nazareth, Zequinha de Abreu e Pixinguinha e que vai desaguar nos mais jovens elementos da Bossa Nova, alguns dos quais somente agora pondo a cabeça para fora, como Francis Hime, Marcos Valle, Theófilo de Barros Neto e ele próprio. É. A garotada está aí mesmo para nos botar, a nós os velhos, para correr. Mas não há de ser nada. O importante é que se trata de uma mocidade sadia, atenta e responsável, que quer fazer boa música, e fazê-la consciente dos problemas do tempo em que vivem.

É evidente que Vinicius escreveu esse texto não baseado nos quatro sambas "nas fraldas" que Edu de fato apresentava — bossinhas imberbes e nada memoráveis como "Balancinho", "Alguém sob medida", "Amor de ilusão" e "Saudade só pra mim", que ele assinava ainda como Eduardo Lobo. Mas pelo que já via nas festinhas que promovia, as "Viniçadas", como as apelidou outro daqueles jovens frequentadores, o futuro jornalista e letrista Nelson Motta. O "fazê-la consciente dos problemas do tempo em que vivem" Vinicius tirou evidentemente do convívio e de sua empolgação com os estudantes.

No texto, Vinicius já anunciava a parceria e o rebatizava Edu — "Eduardo Lobo, ou melhor, Edu Lobo, é o mais jovem dos meus parceiros. Acabou de fazer 19 anos". Os quatro sambas "nas fraldas" eram coisa do passado, nas festinhas Edu se mostrava mais maduro, e Vinicius sabia disso. Tanto que numa delas, no tal verão de 63 na casa de Olivinha Leuenroth (a futura cantora e letrista Olivia Hime), em Petrópolis, depois de ouvir Edu desfiar uma série de sambas seus, inclusive algumas músicas inéditas do *Pobre Menina Rica* que ele aprendera nas festas ouvindo o próprio Carlos Lyra tocar, Vinicius perguntou-lhe se por acaso não teria um sambinha sem letra. Edu, que fazia o dever de casa antes de ir para as festas de Vinicius, tinha a tal melodia. E ficou tocando e tocando o samba, enquanto Vinicius ia fazendo a letra na hora para, como diria, aquele "sambinha danado de bom". Nascia "Só me fez bem", cuja letra, para não perder na descida de ônibus de Petrópolis para o Rio, Edu guardou no sapato.

O samba, e tudo o mais que Edu fazia, encantou logo a todos. E Vinicius, louco pela juventude de seus novos parceiros, arriscou uma pequena teorização sobre a tal "segunda geração da bossa nova", que despontava. Vinicius compara o que ele chama de "monstros sagrados" da primeira geração, Tom Jobim, Carlos Lyra e Roberto Menescal, com "os três grandes novos", Francis Hime, Edu Lobo e Marcos Valle. E traça precisos paralelos.

> [Edu] dos três grandes novos, é o mais sério, o mais imbuído da sua missão de músico; e não que Francis Hime e Marcos Valle não sejam também; é que Edu Lobo, mais na linha de Carlos Lyra, acentua essa impressão através do seu comportamento externo. Também Carlinhos, entre os "monstros sagrados" revela essa aplicação no que faz, é mais estudioso, sistemático, disciplinado. E à medida que eu penso no assunto, mais essa similitude artística entre os binômios Tom-Francis Hime, Carlinhos Lyra-Edu Lobo e Menescal-Marcos Valle adquire foros de verdade. Os estilos são próprios, sem o que não haveria originalidade, mas as músicas são afins. Os primeiros são mais "céu"; os segundos são mais "terra"; e os terceiros são aqueles a quem Terpsícore deu a mão: mais leves, folgados, dançáveis. Poder-se-ia dizer também que Tom e Francis são mais "puros"; Carlinhos e Edu mais "humanos", e Menescal e Marquinhos mais "alienados", para não dizer abstratos [...].

Vinicius escreveria essas palavras logo depois de sua ida para Paris, atendendo ao pedido de em setembro de 1963, e de onde ficou sabendo que sua teoria estava certa, pois foi a Edu que Carlos Lyra convidou para fazer a música de uma peça do CPC — evidentemente por, como ele, Edu ser o mais "terra", o mais "humano" entre os jovens compositores da bossa nova. Logo, o mais político.

Foi nessa época das festinhas em torno de Vinicius que Edu Lobo conheceu Ruy Guerra, o cineasta moçambicano que estudara em Paris e veio se juntar ao Cinema Novo brasileiro e agora namorava Nara. Um pouco antes, em 1960, Ruy chegou a trabalhar com Vinicius, numa tentativa de levar o romance *Riacho doce*, de José Lins do Rego, para o cinema, velho desejo do poeta. Apesar do fracasso da ideia, eles tornaram-se amigos, o que não impediu que Vinicius ficasse enciumadíssimo quando Edu e Ruy começaram a compor juntos. Segundo Vinicius, Ruy era um "místico da terra" e por isso "animou-se com as primeiras tentativas de Edu Lobo de 'desatomizar' o samba moderno, injetando-lhe um pouco de afro, um pouco de gleba e um pouco de clássico". Para Vinicius, no entanto, tentando compreensivelmente se livrar da "terrível influência de Tom" — que angustiava por sua grandeza todos os jovens compositores da bossa nova —, Edu talvez tivesse sofrido influência excessiva de Ruy Guerra.

"Não me parece que o afro seja um elemento espontâneo na música de Edu Lobo, nem a terra, como na música de Baden", escreveu Vinicius, mordido de ciúme e algo contraditório para alguém que ao compará-lo com Carlos Lyra já usara o elemento "terra" como característica da música de ambos.

> O clássico, sim, Edu já parte para a música como um jovem clássico: uma profundidade temática, uma altitude de conceituação musical, realmente raras num rapaz de 21 anos. Seus "motivos"

soam às vezes como os de um jovem Beethoven. Há uma espécie de "religiosidade" em suas estruturas. Talvez — é difícil dizer ainda — seja esse o seu caminho. Os seus sambas "da terra" podem constituir uma experiência interessante, mas não me parecem o melhor que ele tenha a dar.

Edu assume que nessa época já havia percebido que tinha de se livrar da influência não só de Tom, mas também da influência de Carlinhos, Baden e Menescal. O terreno da bossa nova já estava conquistado e, mesmo se ele fizesse direito, só sobraria vaga numa espécie de segundo time. Ele tinha de fazer diferente. E foi nesse momento que ele começou a trabalhar com Ruy Guerra.

Nessa época, além de se aproximar do CPC e de começar a parceria com Vianinha, Edu passou a frequentar as reuniões no apartamento de Nara, no exato momento da virada de cabeça de ambos. Edu diria:

> Eu frequentava muito a casa da Nara, principalmente ali por 63, no momento em que ela ia gravar o primeiro disco, na Elenco. Ela era a musa da Bossa Nova, e gravou um disco que não tinha nada de bossa nova, Zé Kéti, Nelson Cavaquinho, Cartola, que também iam lá. E duas músicas minhas, um compositor que ninguém sabia quem era. Ela gravou "Canção da terra", que já era uma música estranha, e "Réquiem para um amor", ambas que fiz naquela leva com o Ruy.

"Salve, meu Pai, o teu filho nasceu"

"Canção da terra" é uma típica "música estranha", a que Edu se refere, "estranha" não como adjetivo, mas quase um gênero dentro da sua obra inicial, "estranha" porque cheia de influências — do samba relido por Carlinhos Lyra, Baden e Sérgio Ricardo, das experiências do CPC, das ideias do Ruy etc. —, mas fundamentalmente de uma busca sua por uma música diferente da bossa nova. "'Canção da terra' tem uma influência enorme da bossa nova do ponto de vista harmônico, mas os caminhos eram outros, eram os caminhos que eu estava buscando", diz Edu.

Para desespero de Aloysio de Oliveira, além dos sambas de morro, Nara bateu pé que iria gravar Edu Lobo. Quer dizer, até aí tudo bem, todos gostavam das coisas que o filho de Fernando Lobo estava começando a fazer. Mas Nara não escolheu o Edu das bossas lindas e elegantes com Vinicius, como "Só me fez bem" — que só seria gravada por Wanda Sá no ano seguinte e só faria sucesso com Maria Bethânia dois anos depois —, mas o Edu das músicas estranhas com Ruy Guerra.

E bota "estranha" nisso. Totalmente fora de qualquer padrão da época, "Canção da terra" tem uma introdução cantada, ou melhor, um recitativo. Só que em ioruba, em versos que são uma espécie de oração do candomblé, cantados duas vezes por Nara e coro masculino, e um arranjo dramático de Gaya para cordas e sopros em uníssono.

Olorum bererê
Olorum bererê
Olorum ici beobá
Olorum bererê
Olorum berere
Olorum ici beobá

A oração épica continua na mesma música modal, mas agora em português, e ficamos sabendo, sim, que se trata de oração mesmo, e fúnebre.

Ave, meu pai
O teu filho morreu
Ave, meu pai
O teu filho morreu

E, finalmente, a introdução afro transforma-se num samba sofisticado, com acordes de bossa nova, ou seja, um afro-samba *avant la lettre* e cuja letra de Ruy Guerra, à semelhança das letras do CPC, atribui a morte que está sendo lamentada a questões políticas: seja a questão colonialista levantada pelo letrista moçambicano ("Sem ter nação para viver"), seja a reforma agrária de todos os camponeses do mundo ("Sem ter um chão para plantar"), seja a falta de liberdade ("Sem ter voz livre para cantar"):

Sem ter nação para viver
Sem ter um chão para plantar
Sem ter amor para colher
Sem ter voz livre pra cantar
É, meu pai morreu
É, meu pai morreu

E agora a oração vem em forma de samba, como se o ritmo afro-brasileiro fosse, em si, uma maneira de lutar e conquistar o que se quer (amor, terra, trabalho):

Salve, meu Pai, o teu filho nasceu
Salve, meu Pai, o teu filho nasceu

É preciso ter força para amar
E o amor é uma luta que se ganha
É preciso ter terra pra morar

E o trabalho que é teu, ser teu
Só teu, de mais ninguém
Só teu, de mais ninguém

Salve, meu Pai, o teu filho cresceu
Salve, meu Pai, o teu filho cresceu

E o samba se encerra com o filho "crescido", consciente, sabendo que a luta não será fácil nem pacífica, numa exortação à luta política, tão à maneira do CPC, voltando no final à oração do candomblé.

E muito mais é preciso é não deixar
Que amanhã por amor possas esquecer
Que quem manda na terra tudo quer
E nem o que é teu bem vai querer dar
Por bem não vai, não vai
Por bem não vai, não vai
Salve, meu Pai, o teu filho viveu
Salve, meu Pai, o teu filho viveu

A gravação de Nara, a originalidade do samba de Edu e as ousadias da letra de Ruy Guerra, seja no conteúdo político, seja na inclusão de elementos do candomblé — e o fato de o letrista ser "africano" aumentava a legitimidade disso, ele e Edu estavam fazendo um outro samba na mesma época, "Reza", em que palavras em ioruba iriam direto para o refrão de alcance popular, "Ialá ladala sabalana, Ave Maria" , causariam grande impacto no lançamento. Mesmo o enciumado Vinicius deu o braço a torcer e, reclamando da excessiva influência de Ruy sobre Edu, teve de reconhecer: "Mas mesmo dentro dessa linha, já nos tem ele apresentado, com letras de Ruy Guerra, sambas de grande qualidade, como 'Canção da terra', gravado por Nara em seu primeiro LP."

É que com seu faro inacreditável para o novo, Nara consegue apontar em "Canção da terra" já o novíssimo, não só em idade — Edu tinha 20 anos completados naquele agosto de 1963 em que ela, aos 22, gravava a canção —, mas também uma consequência já das primeiras experiências de Baden e Vinicius em ritmos e procedimentos musicais e linguísticos "afros", dos sambas políticos e esteticamente mais abertos de Carlos Lyra para o CPC, sem perda dos avanços formais alcançados pela bossa nova.

A rivalidade entre Vinicius e Ruy Guerra prosseguiria nas músicas que eles fizessem com os novos parceiros, principalmente Edu Lobo e Francis Hime, Vinicius sempre pendendo para temas mais populares e líricos e Ruy presente nas canções mais "estranhas" e políticas.

"O meu imenso espanto"

Em seu primeiro disco, além de anunciar o Edu Lobo das canções "estranhas", de vanguarda, Nara ainda gravaria outra canção de Edu e Ruy Guerra, "Réquiem para um amor", dessa vez fazendo jus àquela outra faceta observada por Vinicius, dos "motivos que soam às vezes como os de um jovem Beethoven" e "uma espécie de religiosidade em suas estruturas".

O Réquiem, não fosse este um gênero justamente clássico e religioso, revela já na primeira gravação de sua obra por uma intérprete esse lado que seria tão marcante na obra de Edu Lobo, chamado muitos anos depois por Tom Jobim de "neto" de Villa-Lobos no sentido em que ele seria o filho. Ou, mais precisamente, "filho" musical de Tom, seja em canções camerísticas como aquela (que Tom já ensaiara nas parcerias com Vinicius para os discos "Canção do amor demais", de Elizeth Cardoso, e "Por toda a minha vida", de Lenita Bruno), seja mesmo em experiências futuras com música para orquestra. E Gaya não economizou no arranjo, camerístico, cordas e sopros bem presentes, com a base sendo feita ora pelo piano, ora pelo violão. A letra de Ruy Guerra segue a forma tradicional de um Réquiem, que tem evidente estrutura religiosa, católica, como a música, mas não é tão estranha assim ao conteúdo revolucionário proposto pela nova canção brasileira que estava sendo gestada naquele momento. O lamento de uma morte heroica, na luta política, como algumas canções do CPC preconizavam — o próprio Carlinhos Lyra faria, com Vianinha, "O melhor, mais bonito é morrer", um réquiem político do repertório da peça *A mais-valia vai acabar, seu Edgard* — não é uma leitura absurda para o Réquiem clássico, cantado com precisão e afinação pela voz pequena e de sotaque popular de Nara.

Quando eu vi
Teus olhos se fechar
Teu olhar
Aos poucos se perder

Devagar morrias
Era inútil
O meu imenso espanto
E a tua cor
Ganhou o tom mais triste
Do nosso eterno adeus

Eu vim
Te ver mais uma vez
Uma flor
Te deixo neste adeus

Mesmo muito influente na transformação intelectual de Nara, e seguramente nas escolhas tão assertivas que ela faria no primeiro disco, o Réquiem de Ruy Guerra poderia ser para o amor entre os dois, que não sobreviveria nem ao lançamento do disco, em fevereiro de 64. Ainda em janeiro, quando Nara fazia uma temporada de shows no Bottle's Bar, uma das casas de jazz e bossa nova do Beco das Garrafas, em Copacabana, certa noite ela saiu de táxi e, passando pela rua Anita Garibaldi, no Bairro Peixoto, onde Ruy morava, viu o namorado abraçado com uma outra mulher, a caminho de casa.

O namoro, é óbvio, terminava ali. Mas as duas canções de Eduardo Lobo, o futuro Edu, e Ruy Guerra já testemunhavam uma das maiores novidades de *Nara*, duas canções ainda inclassificáveis que nos anos seguintes, na falta de título melhor, ganhariam a alcunha de MPB. Sem mágoas, Nara ainda gravaria mais Ruy Guerra durante sua carreira, outras canções naquele mesmo formato clássico e lírico da parceria com Edu Lobo, como "Em tempo de adeus", no *Opinião de Nara*, o segundo disco, e "Aleluia", no *Canto livre de Nara*, o terceiro, entre outras.

Para felicidade do ciumento Vinicius, Ruy Guerra nem seria o letrista mais presente em *Nara*. Seria ele próprio, com quatro músicas. Mas nem Ruy nem Vinicius, seriam o poeta mais celebrado do disco. Esse título sem dúvida pertenceria ao velho Cartola, que ali renasceria. E seu jovem parceiro, Elton Medeiros, era seguramente a maior novidade do LP, um compositor da mesma dimensão de Edu Lobo.

Encontro histórico: Cartola, Zé Kéti e Nelson Cavaquinho visitam
o apartamento dos pais de Nara na avenida Atlântica —
um centro catalisador e deflagrador da Bossa Nova

NARA LEÃO VEM AÍ

Com o seu primeiro lançamento para a Elenco. Arranjos de Gaya e uma seleção de primeira: *Marcha da quarta-feira de cinzas, Diz que fui por aí, O morro (Feio não é bonito), Canção da terra, O sol nascerá, Berimbau, Vou por aí,* etc.

Nara gravando – "ela tem sido uma espécie de musa do movimento bossanovista"

Nota de lançamento do disco *Nara* na revista *Cinelândia*

Sessão de fotos com *cast* da gravadora Elenco: Nara com Odete Lara, sua aluna de violão, e Baden Powell, seu colega nas aulas com Moacir Santos

Com Aloysio de Oliveira, Carlos Lyra e Vinicius de Moraes durante ensaio do espetáculo *Pobre Menina Rica*, o primeiro trabalho profissional de Nara

Nara e Tom Jobim, que lançaram seus primeiros discos
no mesmo dia, em 27 de fevereiro de 1964

Zé Keti chama todo o Rio para ver a inauguração do restaurante de "Cartola"

José Flôres de Jesus, o Zé Ketí, veio ontem à Redação ao JORNAL DO BRASIL convidar "todo o Rio" para a inauguração do restaurante do *Cartola*, o fundador da Estação Primeira de Mangueira, que resolveu estabelecer-se na Rua da Carioca, 53, "confiado nos quitutes da mulher, D. Zica".

Zé Keti — que já lançou num programa de televisão, no dia 20, o samba *Onde o Rio é Mais Carioca*, "que poderá ser o hino do IV Centenário", anunciou que a etiquêta Elenco lançará, nos próximos dias, um *long-play* com a cantora Nara Leão cantando músicas de Nélson *Cavaquinho*, *Cartola* e dêle próprio, "na melhor tradição do morro". Entre os sambas estão *Diz Que Fui Por Aí*, *Luz Negra* e *O Sol Nascerá*.

LEMBRANÇAS

Bom carioca e Porteia de coração, Zé Keti lamenta apenas que a comercialização musical mate um pouco a tradição dos grandes sambas do morro, "embora, no IV Centenário seja quase certo que todos os cariocas deixem as preocupações, o comércio e tentem mostrar a beleza e a poesia de sua terra, no melhor estilo".

Despedindo-se, Zé Keti lembra os seus primeiros sambas como O Tio Sam no Samba, com os Vocalistas Tropicais, o Amor Passageiro, sucesso de Linda Batista em 1952, A Leviana, primeiro sucesso de Jamelão, e A Voz do Morro, fundo musical do filme Rio 40 graus e que todo o Rio cantou na passagem de 55 para 56.

Nota sobre o novo disco de Nara Leão no *Jornal do Brasil* de 21 de fevereiro de 1964

Nara e Zé Kéti no Zicartola

Nara com Zé Kéti e João do Vale no ensaio do espetáculo *Opinião*: o protesto vira canção

6. "A sorrir, eu pretendo levar a vida"

Na rígida ética dos sambistas daquela época, tanto que nem precisava ser escrita, no dia em que Elton Medeiros foi apresentado a Cartola ele nem sequer cogitou fazer uma música com seu ídolo. Não que lhe faltasse esse desejo nem credenciais: da ala de compositores da Aprendizes de Lucas, já havia ganhado alguns sambas-enredo para a sua escola, entre os quais um celebrado "Exaltação a São Paulo", que faturou o quinto lugar no desfile de 1954, nada mau para uma agremiação relativamente pequena, e acabara de ter seu primeiro samba gravado por ninguém menos que Jamelão, "Falta de queda", num LP que o cantor oficial de Mangueira curiosamente misturava seus dois ambientes de trabalho, *O samba é bom assim — A boite e o morro na voz de Jamelão*. Nascido na Glória, formado musicalmente pelo método implantado por Villa-Lobos nas escolas públicas, trombonista de baile, nem morro nem "boîte", o samba de terreiro de Elton estava lá na voz de Jamelão pela beleza da melodia, sua característica como compositor.

Levado por seu amigo Zé Kéti — para quem de vez em quando fazia coro e tocava pandeiro e tamborim em suas apresentações —, uma visita a Cartola era há muito acalentada, mas precisava ter motivo, o discreto Elton não queria parecer inconveniente. Surgiu a oportunidade quando Zé Kéti veio com a informação de que, para fazer um programa na TV Rio, Cartola estaria formando um conjunto integrado por compositores de escolas de samba que cantassem e fossem ritmistas.

Atrás de Zé Kéti, Elton subiu as escadas que davam para o sobrado da rua dos Andradas, onde funcionava a Associação das Escolas de Samba e Cartola morava, por ser zelador do prédio.

"Ó esse menino lá da Aprendizes de Lucas", disse Zé Kéti a Cartola que, receptivo, pediu que Elton sentasse numa roda em que já estavam o velho Ventura, Armando Santos e Alvaiade, da Portela, Nelson Cavaquinho, seu amigo Nuno Veloso e agora ele e Zé Kéti. Conversou muito com Cartola naquele dia, ficaram íntimos de uma hora para outra, mas não propriamente intimidado, e sim respeitoso, não falou em música nova.

A parceria, contudo, não demorou a sair: talvez no terceiro ou quarto encontro, Elton apresentou uma de suas melhores melodias e Cartola pôs letra na hora: "Pois é/ Tudo começou assim/ Alguém se vingou em mim/ Inventando o que eu não pratiquei/ Pois é/ Só Deus sabe quanto amei/ Por te amar tanto chorei/ E chorando levo a coisa até o fim..."

"Injúria" seria a primeira das muitas que ele e Cartola fariam ali na rua dos Andradas, e foi a que Elton cantou no tal programa de televisão, que foi apresentado pelo jornalista Sérgio Cabral. Mais tarde, Elton recordaria:

> Cada qual cantou músicas lançadas nos terreiros de suas escolas de samba, Ventura, Armando Santos, Cartola, Zé Kéti, Nuno Veloso, Nelson Cavaquinho e eu, e foi um programa surpreendente, com nego batucando na cadeira, em caixa de fósforos, aquele violão rouco do Nelson. Naquele tempo, televisão só tocava bolero, rock, um pouco de bossa nova que estava começando. Samba tradicional, daquele jeito, era inédito.

Com o sucesso da apresentação na TV Rio, havia a possibilidade de que oportunidades para outras apresentações aparecessem. E enquanto Zé Kéti começava a pensar em chamar aquele grupo de A Voz do Morro, como seu famoso samba — coisa que só se concretizaria alguns anos depois e com outra formação, apenas ele e Elton do grupo original e tendo aquele samba "Injúria" como um dos pontos altos —, Cartola passou a marcar ensaios de forma mais frequente, quase todos os fins de semana no sobrado da rua dos Andradas. Sobre o inusitado da coisa, Elton diria:

> Os ensaios em geral eram sextas e sábados. No Centro da cidade, não tinha nada nesses dias, e a gente ia até de madrugada. Então, as pessoas passavam ali e ouviam a música, viam aquele sobradão, e subiam para ver o que estava acontecendo, quem é que estava tocando e cantando aquela música inusitada. Porque naquela época ninguém, fora do ambiente das escolas e do Carnaval, cantava e tocava samba daquele jeito. Samba tradicional? Não mesmo...

O troço foi ficando tão bom que, lá por volta de 62, alguns amigos mais endinheirados de Cartola começaram a levar cerveja e dar um dinheiro para Zica, mulher de Cartola que já trabalhava como cozinheira num restaurante da avenida Rio Branco, preparar salgadinhos para o pessoal comer, às vezes um prato de resistência, uma feijoada, um vatapá. "E quem subia pagava cerveja, também. Tinha noites que juntava mais de cem pessoas na casa do Cartola, nem cabia tanta gente."

Foi por essa época que um pessoal da Zona Sul, especialmente estudantes e jovens artistas ligados ao CPC, como aquele pessoal do cinema, descobriu aquele manancial espontâneo de cultura popular — e ainda uma forma inédita de diversão nos fins de semana. Foi quando Carlinhos Lyra conheceu Zé Kéti, por intermédio do mesmo Sérgio Cabral do programa da TV Rio, e, encantado com a música que via ser feita ali, começou a levar aqueles compositores para reuniões musicais também em sua casa, em Ipanema.

Num desses ensaios, que evoluíam para festas madrugada adentro, Elton chegou um pouco antes para compor com Cartola. Ficaram umas duas horas a sós e fizeram um samba, a que deram o nome de "Castelo de pedrarias", melodia de Elton, letra de Cartola, que, leitor de Olavo Bilac, de vez em quando era dado a arroubos parnasianos: "Sonhaste com castelo e pedrarias/ Pedrarias que jamais terias", dizia um trecho da letra de rimas ricas.

Foi quando chegou, já para a festa, o amigo Renato Agostini, que teve o privilégio de ouvir o samba novo, que acabara de ser feito, ainda embebido do líquido amniótico. Ficou tão emocionado de ver um samba nascer ali, quase na frente dele, que propôs um desafio a Cartola e Elton: que fizessem um outro samba, do início ao fim, ali na frente dele. Um olhou para o outro e toparam o desafio.

No improviso, Elton batucando na caixinha de fósforos, Cartola ao violão — ambos revezando-se em melodia e letra, quando normalmente na parceria dos dois Elton apresentava a música e Cartola entrava com a poesia —, os dois fizeram uma primeira parte, curta, direta e potente, típica de um samba de terreiro bom de as pastoras cantarem, a melodia com todo o jeito de Cartola.

A sorrir,
Eu pretendo levar a vida

Pois chorando
Eu vi a mocidade perdida

E, em menos de quarenta minutos buscando as palavras poucas e exatas, ainda fizeram uma segunda parte, com todo o jeito de melodia de Elton, também curta e irresistível.

Finda a tempestade
O sol voltará
Finda esta saudade
Ei de ter outro alguém para amar

Curtinha, com jeito de improviso, mas de uma força que escapava a qualquer compreensão, os dois e mais Renato Agostini — e quem mais chegasse — ficaram cantando e cantando o samba até de madrugada. A ponto de, até os compositores, terem esquecido para sempre a elaborada "Castelo de pedrarias".

Algumas semanas depois, a provocação do amigo Renato Agostini se desdobraria em frutos que mudariam a vida de todos os envolvidos — e muitos que nem estavam lá — e a própria história da música brasileira.

Provocador do samba novo, Renato e seus primos Fábio e Eugenio Agostini eram habituais frequentadores do sobrado da rua dos Andradas e fãs dos acepipes preparados por Zica. De outra classe social, jovens empresários, foram apresentados a eles por Nuno Veloso, jovem branco, de família abastada, que se encantou pelo samba a ponto de ter sido aceito na ala de compositores da Mangueira e ter se tornado parceiro de Cartola. Certa vez, Eugenio perguntou a Zica qual seria seu grande sonho, e ela lhe respondeu que era o de ter sua própria pensãozinha, para servir comida durante o dia e ajudar Cartola com as despesas, já que ele ganhava muito pouco.

O sonho de Zica, a casa de Cartola lotada nos fins de semana de festa e a notícia de que o prédio da Associação das Escolas de Samba, onde eles moravam e ele trabalhava, seria demolido pela prefeitura precipitaram uma velha ideia dos primos Agostini, de ajudar Zica a montar sua pensão.

Enquanto Zica, a pedido de Eugenio Agostini, procurava um local para montar sua alentada pensão, o samba provocado por seu primo Renato, e apelidado de "A sorrir", mesmo com o título provisório de "O sol voltará", era um dos tantos que foram gravados certa noite por Cartola, Nelson Cavaquinho e Zé Kéti no apartamento da rua Barão da Torre, de Carlos Lyra, grande parte do repertório vindo direto do sobrado da rua dos Andradas.

Quando a fita chegou aos ouvidos de Nara, ela em princípio até tentou procurar sambas mais densos de Cartola para gravar — adorou um, "Amor proibido", mas implicou com versos como "Fácil demais, fui presa/ Servi de pasto em sua mesa", a mulher, mesmo que sutilmente chamada de vaca, era coisa que ela não conseguiria, nem queria, cantar, embora sua gravação tenha até sido anunciada pela imprensa. Na verdade, segundo Carlinhos Lyra, Nara no princípio estranhou como os sambas eram apresentados, o tipo de harmonia, mas ao violão eles foram destrinçando as melodias e perceberam logo o potencial daquelas músicas.

Quando recebeu os sambistas em casa, em meados de 1963, Nara já tinha as suas preferidas para gravar no disco para o qual foi convidada por Aloysio de Oliveira. E justamente aquele samba curtinho e otimista do jovem Elton Medeiros e de Cartola chamara sua atenção. Era um samba "de morro", "puro", "autêntico", mas com a leveza e a despretensão que lembrava a ela alguma coisa, a bossa nova, talvez.

Até Aloysio concordava que, dessa vez, o samba ficaria muito bom na voz de Nara. Só pediu aos autores, com sua experiência de grande letrista, autor de clássicos solares da bossa nova como "Dindi" e "Só tinha de ser com você", que mudassem uma palavra da letra. Em vez de "o sol voltará", talvez ficasse melhor um natural "o sol nascerá", que acabou virando o título do samba, nada desprezível contribuição de Aloysio, e da própria bossa nova, ao futuro clássico de Elton Medeiros e Cartola.

Em agosto de 63, Nara gravou, no estúdio Rio Som da rua do Senado, "O sol nascerá", de Cartola (Agenor de Oliveira) e Elton Medeiros, como seria grafado na capa (ou de Agenor de Oliveira "Cartola" e Elton Medeiros, como apareceria no selo do disco). Essa necessidade de botar o nome de batismo de Cartola — e sem o "n" do nome correto, Angenor, pois muita gente ainda não sabia desse nome real, inusitado, de sua certidão de nascimento que, reza a lenda, ele próprio só descobriria naquele ano de 63 quando se casaria oficialmente com Zica depois de alguns anos morando juntos — mostra quanto ele era desconhecido da nova geração. Mesmo sendo uma espécie de lenda viva, cultuado como sobrevivente da geração de fundadores do samba, até aquela gravação de "O sol nascerá", Cartola só tinha 14 músicas gravadas, alguns sucessos estrondosos, como "Divina dama" na voz de Francisco Alves, mas que remontavam a trinta anos. Seu nome, conhecido a não ser por especialistas e fãs de samba e por jovens muito engajados no movimento cultural, ainda carecia de "aspas", não era corrente no imaginário das pessoas. Mesmo em Mangueira, com quem mantinha uma relação conturbada desde que saíra do morro e da escola no fim dos anos 1940, seu nome ainda não era uma unanimidade — em 61, mesmo sendo uma obra-prima, seu samba "Tempos idos" não ganhou a disputa para samba-enredo daquele ano.

Feito ao acaso, no improviso com um jovem parceiro e pela provocação de um amigo, "O sol nascerá" acabou por narrar o que ele estava vivendo ali naquele momento da gravação de Nara.

A sorrir,
Eu pretendo levar a vida
Pois chorando
Eu vi a mocidade perdida

Os quatro versos iniciais, embora não tivessem essa intenção, serviram como transição da antiga vida de Cartola — esquecido, vivendo de favor e trabalhando de zelador, quando na verdade era uma espécie de patrono do samba, de maior figura viva do samba ao lado de Ismael Silva — para a nova fase que se abria para sua vida e sua obra. A mocidade estava encerrada, perdida; às vésperas de completar 55 anos, sua vida renascia em sorrisos.

A gravação de Nara, de todas as do disco, era a mais leve, ela própria um sorriso. O arranjo de Gaya, com introdução e desenhos bonitos e precisos de sopros, e um solo solar de trompete, primeiro com e depois sem a surdina, e a base feita à maneira da bossa nova, com piano, baixo e bateria bem leve, contribui muito para essa sensação de renascimento na canção.

Enquanto Nara gravava "O sol nascerá", em agosto de 63 Zica encontrava o lugar ideal para montar sua pensão, um também sobrado no Centro do Rio, no número 53 da rua da Carioca, pertinho da praça Tiradentes. O local pareceu-lhe excessivamente grande para a sua pensão, mas pareceu ideal para os Agostinis, que já vislumbravam transferir as festas de Cartola da rua dos Andradas para a rua da Carioca.

Em 5 de setembro, Euzébia Silva do Nascimento, a Zica, e seus sócios Eugenio Agostini Netto, Renato e Fábio Agostini Xavier assinam a sociedade da empresa Refeição Caseira Ltda. Dali a poucos dias, como a cozinha estava pronta, ela começaria a servir refeições na hora do almoço, para as pessoas que trabalhavam por ali. Fernando Pamplona, carnavalesco do Salgueiro e professor na Escola de Belas Artes, ali perto na Cinelândia, foi um dos primeiros frequentadores, do pouco tempo em que a casa oferecia apenas refeições durante o dia.

Em 21 de fevereiro, seis dias antes do lançamento do disco de Nara com autênticos sambas de morro, entre os quais "O sol nascerá", o mesmo Zé Kéti que levara Elton Medeiros para conhecer Cartola uns três anos antes anunciava a inauguração oficial do Zicartola como casa de comida e shows brasileiros. Lá, a mesma turma que se divertia nos sambas da rua dos Andradas agora transformava essa diversão em show profissional, e no que seria a primeira casa de samba da história.

Nelson Cavaquinho, que estava lá quando Elton chegou, que tocou seu violão inimitável e suas músicas no programa da TV Rio e nas noites sem fim do sobradão da rua dos Andradas, seria uma das atrações da primeira noite do Zicartola. E, não por acaso, embora veterano, uma das maiores surpresas do primoiro disco de Nara.

7. "Sempre só"

"Nelson Cavaquinho quase virava lenda", demonstrava certo alívio o cronista Sérgio Porto, em fevereiro de 1966, ao escrever o texto de contracapa do segundo LP da cantora Thelma pela gravadora CBS, idealizado por ele, o primeiro disco inteiramente dedicado ao compositor, então com 56 anos e, até pouco tempo antes, "dado como falecido por muito crítico mal informado".

Segundo Sérgio Porto — e àquela altura, é bom lembrar, bem mais conhecido pelo pseudônimo Stanislaw Ponte Preta, pelas crônicas de humor e crítica política que fazia, do que pelo próprio nome, sob o qual era um crítico musical rigoroso e ortodoxo, sobretudo de jazz e samba —, "esse movimento que se iniciou há poucos anos pela revigoração do samba autêntico, essa necessidade que se sentiu de ir buscar nas raízes — como vulgarmente se diz — a seiva que iria retonificar o nosso populário e livrá-lo de uma influência alienígena que estava matando o samba, tudo isso trouxe de volta os grandes sambistas, e entre eles Nelson Cavaquinho".

Ele próprio, Sérgio Porto, talvez tenha começado o tal "movimento" ao ter reconhecido Cartola lavando carros em Ipanema, nos idos de 1957, quando muitos o consideravam também falecido — "Sou do tempo do Cartola, velha guarda o que é que há", cantava Herivelto Martins justamente no Carnaval de

57, no samba "Saudosa Mangueira", como se Cartola fosse de um outro tempo, também uma lenda. Mas, diferentemente do caso do tímido Cartola, e mesmo do hiperativo e trabalhador Zé Kéti, dos três compositores "de morro" redescobertos naqueles anos, Nelson Cavaquinho era o que tinha todo o jeito de lenda.

"Duas ou três gravações de sambas seus, as suas primeiras aparições em público, provaram logo que Nelson Cavaquinho era tudo aquilo que dele se dizia. E muito mais!", concluía Sérgio Porto sobre seu herói, àquela altura, como se vê, já bem maior do que a lenda.

A tal aura de lenda talvez tenha começado pela própria ausência do nome, Nelson Cavaquinho, das capas e dos selos de discos. Sabia-se que havia o grande sambista Nelson Cavaquinho, chamado de Nelson "do" Cavaquinho pelos mais antigos, caso da cantora Elizeth Cardoso, que, como tantos intérpretes importantes da música brasileira, volta e meia gravava seus sambas pelo menos desde os anos 1940. No caso de Elizeth, ela já havia gravado "O amor que morreu", em 1953. Mas, como sempre, entre um ou dois parceiros — pois ele tinha a mania, advinda evidentemente da necessidade e de certo hábito na época de "vender" parcerias em suas músicas, quando não a autoria inteira — os sambas eram assinados por um tal Nelson Silva, seu nada memorável nome civil, retirado do nome de batismo Nelson Antônio da Silva.

Pois mesmo na provável primeira reação do samba tradicional à explosão da bossa nova, a série de quatro discos *Descendo o morro*, do cantor Roberto Silva para a gravadora Copacabana, o lendário nome não aparece. Nos quatro LPs, com arranjos tradicionais feitos por Altamiro Carrilho e capas gloriosamente realistas do cantor empunhando um violão à porta de um barraco, em outra, brindando com amigos à porta de uma birosca, ou descendo a favela com a cidade ao fundo, Roberto Silva faz uma antologia do samba até então. Ou, como diz o crítico Lucio Rangel — tio de Sérgio Porto e ainda mais rigoroso que o sobrinho na defesa do samba "puro" — no texto da contracapa do volume 3: "[A série] escolheu os sambas mais belos, mais felizes, mais autênticos, realizando uma verdadeira antologia do gênero e confiando sua interpretação a um dos melhores especialistas, um moço que canta com propriedade, que sabe valorizar as letras dentro do ritmo adequado e buliçoso do verdadeiro samba carioca."

Pois justo nos três anos em que a bossa nova se consolida como o "samba moderno" e João Gilberto lançava na Odeon os três LPs que balizariam o gênero, entre 1959 e 1961, coincidentemente, seu ídolo Roberto Silva — o chamado "príncipe do samba", por seu jeito macio de dividir e cantar à maneira de Orlando Silva, e até ainda mais *cool* — faz uma antologia do samba tradicional e, pela primeira vez em tempos modernos, associando-o assim tão explicitamente ao "morro" (e mesmo que grande parte dos sambas seja de autores que nada têm a ver com a favela: o gênero tem, era isso que se queria dizer e estabelecer). Nativo do morro do Cantagalo, em Copacabana, a poucas centenas de metros do apartamento de Nara Leão na avenida Atlântica, na justaposição de universos até então distintos como só no Rio de Janeiro, Roberto Silva fazia-o com autoridade.

Curiosamente, mas não por acaso, há até coincidências no repertório de João Gilberto e Roberto Silva, compositores realmente de morro, como Geraldo Pereira, da Mangueira, ou de samba tradicional, como a dupla Bide e Marçal, estão nas duas séries de discos, João querendo levá-los para a cidade e o mundo, Roberto Silva já tendo que demonstrar de onde vinham aqueles sambas — e como a que demonstrar que a intuição de Nara estava certa, não havia qualquer contradição entre uma cantora nascida no seio da Bossa Nova, como ela, cantar samba de morro, afinal o próprio João Gilberto fazia isso em seus discos-manifestos.

Mas enquanto os quatro LPs da série *Descendo o morro* traziam apenas um samba de Zé Kéti, "A voz do morro", e nenhum de Cartola, ainda não devidamente redescoberto, traziam quatro composições de peso de Nelson Silva e parceiros: "Rugas", "Aquele bilhetinho", "Notícia" e "Degraus da vida", todos grandes sucessos. Na contracapa, contudo, nem mesmo Lucio Rangel, cansado de conhecê-lo pelo nome de Nelson Cavaquinho, identifica o compositor e associa seu nome civil ao nome que circulava no meio do samba. Chama-o, mais uma vez, de Nelson Silva.

É que foi só lá pelo fim de 1961, quando saía o último volume do *Descendo o morro*, que, convidado por Cartola para formar o primeiro grupo A Voz do Morro — nome, aliás, de um programa de rádio que Cartola e Paulo da Portela faziam na Rádio Cruzeiro do Sul nos idos de 1940 — e se apresentar na TV Rio, Nelson Silva transformou-se finalmente em Nelson Cavaquinho, a bem, se não da verdade, da ideia de autenticidade que Cartola tão bem simbolizava.

O apolíneo Cartola, pode-se dizer, é a outra face da moeda do dionisíaco Nelson Cavaquinho, tanto em vida como em obra. Eram amigos desde os anos 1930, quando Nelson começou a frequentar o morro de Mangueira como policial da cavalaria, que tinha a missão de patrulhar a região. Evidentemente, logo se meteu no ambiente do samba no morro. Certa noite, ficou conversando justamente com Cartola até tão tarde que seu cavalo, chamado de Vovô, vendo-se aparentemente abandonado, voltou sozinho para o batalhão ali perto, em São Cristóvão, o que rendeu um tempo em cana para o relapso policial. História típica de uma lenda — embora até fosse verdadeira.

Depois de muitas prisões por indisciplina, finalmente deu baixa no quartel em 1938 e pôde se dedicar exclusivamente à música e à boêmia, como ele próprio depois confessaria, naquele tempo mais a esta do que àquela, embora as noites no botequim fossem sua principal fonte de inspiração e negócios — de vendas de parceria ou de sambas. Em 1952 finalmente mudou-se para o morro — ele que era da cidade, nascido na rua Mariz e Barros, na Tijuca, e criado em São Cristóvão, com passagem pela Lapa — e tornou-se, oficialmente o que ele já era de coração, um dos poetas de Mangueira —, mas Cartola já não estava mais por lá.

Diferentes em tudo, Cartola e Nelson Cavaquinho só fizeram um samba juntos, "Devia ser condenada", o que demonstra bem as diferenças existenciais entre os dois amigos. Certa vez, num bar, Cartola viu um malandro cantando o samba que ele havia composto com Nelson e dizendo que era seu. Já antevendo a resposta, Cartola foi questionar seu parceiro. "Eu só vendi a minha parte", respondeu-lhe Nelson, sabendo como Cartola era contra tal prática — talvez o pioneiro entre os compositores "de morro".

E não eram diferentes apenas na postura ética em relação à autoria. Enquanto, leitor que era de Olavo Bilac e da poesia parnasiana e admirador da música barroca de Bach e Händel que em sua infância e mocidade percorria as igrejas católicas do Rio para ouvir, Cartola buscava as formas clássicas de samba, tanto em melodia, harmonia e letra, Nelson Cavaquinho inventou uma forma de música própria. De família de músicos, mas autodidata, logo abandonou o cavaquinho que lhe deu o nome e a fama e adotou o violão. Mas um violão só dele, de ritmo agalopado, com a mão direita em formato de alicate, tangendo as cordas praticamente com dois dedos e proporcionando um resultado harmônico diferente, único, um som ao mesmo tempo rústico e estranhamente sofisticado — a serviço de melodias e letras igualmente belas e estranhas. Um dos maiores sucessos de Nelson Silva, "Palhaço", lançado por Dalva de Oliveira em 1951, é um bom exemplo do estilo musical e poético que ele desenvolveu secretamente: a melodia "chorada", o ritmo galope de seu violão, emoldurando uma letra cheia de amarga ironia: "Sei que choras, palhaço/ Por alguém que não te ama/ Enxuga os olhos e me dá um abraço/ Não te esqueças que és um palhaço/ Faça a plateia gargalhar/ Um palhaço não deve chorar."

Mesmo com muitos parceiros, reais ou "de aluguel", o estilo de Nelson em letra e música já era notório quando ele reencontra Cartola em 1961. A apresentação na TV Rio, que foi ao vivo e não deixou registro em áudio ou vídeo, Elton Medeiros lembrava bem, chamou a atenção evidentemente pelo repertório, pela batucada ("nego batucando até na cadeira"), mas muito também por Nelson: "Aquele violão rouco dele foi o maior sucesso. Só se comentava isso no meio da música." Fora do ambiente estritamente do samba, mesmo entre músicos, o violão de Nelson "do Cavaquinho" era consideravelmente desconhecido, daí o espanto.

No sobradão da rua dos Andradas, no entanto, seu violão era das maiores atrações. Principalmente uma peça, bem violonística, que ele costumava solar de seu jeito aparentemente imperfeito, o violão rouco (como curiosamente sua voz quando cantava), no dizer de Elton Medeiros. A música, belíssima, chamava a atenção dos músicos por uma melodia descendente na primeira parte, que culminava numa nota grave, como se a própria música chegasse ao fundo do poço. Tanto os músicos se encantavam com a melodia de Nelson que um deles, o maestro Amâncio Cardoso, resolveu ele mesmo botar uma letra — e, conhecedor da própria poética de Nelson, emulando seu estilo, tratando o solitário sofredor do amor pela metáfora do palhaço, o que vive o ridículo na frente de todo mundo.

"Luz negra", seria esse o enigmático título da canção, que começou a circular pelo meio musical até chegar aos ouvidos do violonista Baden Powell, que fica encantado e grava o tema em seu segundo LP instrumental, *Um violão na madrugada*. O arranjo de Baden é quase que um serviço ao tema de Nelson: ele retira a "estranheza" da música e a executa como o belo samba que é, num ritmo mais ágil e para cima, a melodia tocada com clareza, retirando detalhes como uns contracantos que Nelson fazia na segunda parte, a harmonia bem estabelecida, uma bela gravação de lançamento. Que embora fizesse parte de um disco de violão e orquestra, arranjada por Carlos Monteiro de Souza, nessa faixa especificamente foi usado apenas o violão de Baden e alguma percussão de samba, com o andamento bem mais rápido do que Nelson costumava fazer. Pode-se dizer, nesse sentido, que Baden apresenta uma versão bossa-nova para o samba de Nelson Cavaquinho.

Como Nelson na casa de Cartola, Baden também varava noites tocando em festinhas. *Um violão na madrugada* pretendia levar esse clima para o estúdio. No texto da contracapa, o compositor Fernando Lobo já explicava o conceito do disco:

> Baden Powell aqui está, numa gravação fantástica e bem diferente de todas que nos têm dado. E ele, sempre ele, como se apresenta nas festas e reuniões a que é convocado. Ele e seu violão, como numa seresta boêmia, onde caminham juntos e soltam pelo ar

da madrugada as notas certas das melodias mais belas e mais românticas.

O tema de Nelson fazia sua primeira migração, das festas de samba na casa de Cartola para as festinhas de bossa nova da Zona Sul, as que Baden era habitualmente "convocado" para tocar.

Embora sem menção a compositores na contracapa, no selo do disco de Baden o crédito da primeira gravação de "Luz negra" é devidamente dado a Nelson Cavaquinho — e a um misterioso parceiro, Hiraí Barros, coisa que se repetiria com alguma frequência, embora o parceiro de verdade fosse Amâncio Cardoso.

Foi também numa música de Baden, feita também no fim de 1961, "Samba da benção", que finalmente o nome dele iria ser consagrado entre os grandes do samba: "A benção, Nelson Cavaquinho!", exclamava Vinicius de Moraes em sua seleta lista de velhos sambistas a quem pedir a benção, nada mau situado o autor de "Luz negra" entre Heitor dos Prazeres e Geraldo Pereira.

Inédita ainda em sua versão com letra — e mais suja e melancólica quando cantada pelo autor —, "Luz negra" foi uma das canções apresentadas por Nelson no show que Sérgio Cabral organizou no CPC, a pedido de Vianinha, em 1963. Foi um grande sucesso, é evidente, mas calou mais fundo em pelo menos dois presentes. Um foi o diretor de cinema do CPC, Leon Hirszman, que ficou com a tristeza da melodia de Nelson na cabeça, até ele transformá-la no tema musical principal de seu primeiro longa-metragem de ficção, *A falecida*, baseado na peça de Nelson Rodrigues e que rodaria no ano seguinte com Fernanda Montenegro no papel-título e tendo o subúrbio carioca como pano de fundo. Orquestrado de diversas formas por Radamés Gnattali, o tema instrumental de Nelson ganha no filme o registro oposto do espírito de leveza da gravação pioneira de Baden: melancólica, grandiosa, às vezes beirando até ares de música de concerto. Em seu curta-metragem sobre Nelson Cavaquinho, filmado em 1965 mas lançado somente quatro anos depois, Leon Hirszman também registra uma impressionante versão instrumental de "Luz negra" feita pelo compositor, num raro solo seu ao violão.

E o outro tocadíssimo pela originalidade da música foi o diretor musical do CPC, Carlos Lyra, que dias depois pediria numa reunião em sua casa que Nelson Cavaquinho tocasse o samba para seu gravador Geloso, na fita que logo depois mostraria para Nara. Diferentemente de que temas gravar de Cartola e Zé Kéti, em que ficou cheia de dúvidas, de Nelson Cavaquinho a decisão foi imediata. Logo na primeira reportagem, no jornal *Última Hora*, na qual em reunião na sua casa com os três sambistas de morro ela anuncia que vai gravá-los, "Luz negra" já é apontada como uma das certas no repertório, inédita que era com letra.

Nesse caso, não foi nem muito difícil convencer Aloysio de Oliveira, diretor musical da Philips no tempo da gravação de Baden, que já conhecia e admirava a música. E que na gravação, em agosto de 1963, parece seguir de alguma forma, pelo menos na primeira parte, a concepção bossa-novista de Baden Powell. Acompanhada apenas pelo violão moderno, nada semelhante ao de Nelson Cavaquinho, de Oscar Castro Neves, e por uma bateria só tocada nos pratos, Nara canta, em forma de samba, a primeira parte:

Sempre só
Eu vivo procurando alguém
Que sofra como eu também
E não consigo achar ninguém

Numa virada surpreendente, como a dizer a que veio, o arranjo de Gaya dá uma guinada espetacular na repetição da melodia da primeira parte com a continuação da letra, e, ao violão e à bateria, é acrescida uma orquestra de cordas com os violinos tocando nos agudos e a melodia sendo levada por coro misto, como se o terreiro de uma escola de samba cantasse junto os ainda mais tristes versos da canção, a melodia descendente culminando em sua nota mais baixa apropriadamente com a palavra "fim":

Sempre só
E a vida vai seguindo assim
Não tenho quem tem dó de mim
E estou chegando ao fim

A virada para a segunda parte do samba é dada pelo trombone. E então, acompanhada de violão (moderno!), bateria, cordas e sopros, Nara volta para fazer a continuação do samba, a que evoca a imagem do "palhaço do amor". Eliminados no arranjo de Baden Powell, os contracantos de Nelson feitos por um "ôô" depois do primeiro e do terceiro versos são retomados no arranjo de Gaya e, pela primeira vez em gravação, feitos pelas cordas.

A luz negra de um destino cruel
Ilumina um teatro sem cor
Onde estou desempenhando o papel
De palhaço do amor

A partir de um solo de trombone, e depois com toda a orquestra e o coro, a primeira parte é retomada para um final ao mesmo tempo épico e grandioso. E melancólico.

Numa gravação perfeita, e parece que cientes da responsabilidade de lançar um clássico da música brasileira, Nara e Gaya exploram todas as intenções contidas na música de Nelson Cavaquinho e na letra, inspirada em Nelson, de Amâncio Cardoso: a leveza do samba com a densidade da melodia e da letra; a dor íntima que ganha contornos épicos, como nos grandes sambas; o formato de um samba tradicional, "de morro" e de terreiro de escola de samba, mas com soluções formais do samba moderno, da bossa nova; o trágico e o sublime.

Lançado na mesma semana de inauguração do Zicartola, em fevereiro de 1964, "Luz negra" seria um dos maiores sucessos de ambos, do disco e das noites de samba da casa, cantada que foi desde a noite de inauguração, em 21 de fevereiro, pelo próprio autor. Na crônica dos shows de inauguração do Zicartola, o jornalista Juvenal Portella, do *Jornal do Brasil*, faria logo a ligação de uma coisa com a outra, dizendo que "do LP gravado por Nara Leão as músicas de sucesso mesmo são as do samba puro", que o Zicartola passava a transformar em espetáculo a partir daquela primeira noite.

As noites do Zicartola seriam, aliás, uma versão muito ampliada do projeto estético que Nara Leão, influenciada pelo CPC, estava querendo fazer ao gravar Zé Kéti, Cartola e Nelson Cavaquinho. Com a vantagem de ser tocada pelos próprios sambistas, sem intermediários. O caso de "Luz negra" talvez seja o melhor exemplo disso. Primeiro gravada em disco por Baden Powell e, finalmente, lançada com letra por Nara, a música ganharia as famosas Noites do Samba do Zicartola. Inventados por Zé Kéti e depois tocadas com a ajuda do jovens produtores ligados a Cartola, como o próprio Sérgio Cabral e Hermínio Bello de Carvalho — que seria padrinho do casamento de Cartola e Zica na igreja, depois de anos vivendo juntos —, os shows do Zicartola passaram a mesclar a redescoberta de velhos sambistas e artistas da geração de Cartola e Nelson, como Ismael Silva e Aracy de Almeida, com novíssimos sambistas que praticamente estreavam no sobrado da rua da Carioca — caso notório de Paulinho da Viola, que ganhou seu primeiro cachê das mãos de Cartola por acompanhar ao violão os artistas que lá se apresentavam, e, ainda mais importante, o próprio nome artístico, cientes de que Paulo César Batista de Faria ou suas possíveis variações não era nome de sambista, Zé Kéti e Sérgio Cabral descolaram um Paulinho da Viola (inspirado no nome de Mano Décio da Viola, veterano compositor do Império Serrano).

Foi em sua vivência no Zicartola, durante todo o ano de 1964 e já adentrando 65, que Hermínio Bello de Carvalho imaginou um espetáculo teatral que desse conta daquela ebulição cultural que o Zicartola representava.

Em 18 de março de 1965, pouco depois das 23 horas no pequeno Teatro Jovem, em Botafogo, estreava o espetáculo *Rosa de Ouro*, primeiro filho do Zicartola. Nele, artistas da antiga como Aracy Côrtes, grande estrela da época do Teatro de Revista da praça Tiradentes que lançara, em 1929, o que foi considerado o primeiro samba-canção, "Linda flor" (depois conhecido como "Ai Iôiô"), e Clementina de Jesus, descoberta de certo anonimato por Hermínio menos de três anos antes com seu incrível manancial de cantos, curimbas e sambas antigos, eram redescobertas e revalorizadas ao mesmo tempo que eram lançados novos compositores das escolas de samba: Nelson Sargento, da Mangueira, Jair do Cavaquinho e Paulinho da Viola, da Portela, Elton Medeiros, da Aprendizes de Lucas, e Anescarzinho do Salgueiro. Além de sambas destes, eram apresentadas novas composições deles, o trio de Nara,

Cartola, Zé Kéti, Nelson Cavaquinho, entre outros compositores. Além do repertório, o que causou grande impacto foi a proposta de encenação do espetáculo, calcado na projeção de imagens, novidade absoluta para a época, com o áudio de especialistas contando histórias do samba — Sérgio Porto, por exemplo, narrava a história do cavalo que voltou sozinho de Mangueira para o quartel, deixando Nelson Cavaquinho mal com a corporação.

Naquela mesma noite, ou melhor, na madrugada de 19 de março de 1965, abraçado a Pixinguinha, que estava na plateia, Hermínio ouviu de Elizeth Cardoso que ela gravaria em disco os sambas do *Rosa de Ouro*. E de fato, em quatro sessões de gravação entre o fins de maio e início de junho, Elizeth gravaria novos sambas de velhos e novos compositores, aproveitando para, dando continuidade ao processo de "revelação" de Nelson Cavaquinho, fazer o primeiro registro em disco de seu violão "galope", acompanhando a cantora em sua "A flor e o espinho".

Das 12 faixas do disco, apenas uma não era do *Rosa de Ouro*: fascinada com a música desde a gravação de Nara, Elizeth foi a primeira a regravar "Luz negra". E, ampliando ainda mais a presença de Nelson Cavaquinho no mercado profissional de música, fez com que o veterano compositor gravasse, com ela, pela primeira vez a sua voz em disco. Ele canta toda a segunda parte e, se o contracanto é eliminado por Baden e feito com cordas na gravação de Nara, Elizeth trata de ela própria fazer o "ôô" enquanto o autor canta, "com sua voz espessa" (como avisa Hermínio no texto de contracapa), a sua música.

Como se quisesse continuar um ciclo iniciado talvez com a série de discos *Descendo o morro*, de Roberto Silva, Hermínio batizou o disco de *Elizete sobe o morro*, pois era disso que se tratava, a famosa cantora interrompia sua brilhante sequência de discos comerciais com sambas e canções estilizados, para gravar "alguns dos mais representativos compositores dos morros e das escolas de samba cariocas". A gravação específica de "Luz negra" — que Nara levou para o ambiente do violão bossa-nova e de orquestra — traz Elizeth de volta para o seu ambiente de origem. Ou "Volta lá pro morro e pede socorro onde nasceu", como aconselhava Carlos Lyra no samba "Influência do jazz", que antecipava este movimento já em 1962. Em vez de violão moderno, a harmonia é levada no cavaquinho e o ritmo é o de uma verdadeira bateria de escola de samba.

Também cantora curiosamente ligada a Nara, seria de Thelma a próxima missão dessa causa que era revelar Nelson Cavaquinho para o público. Baiana de nascimento, ela foi, no entanto, descoberta por Baden Powell e Vinicius de Moraes cantando na Baiuca, uma pequena casa de shows de São Paulo. Encantados com ela, os dois recomendaram-na a Aloysio de Oliveira, que a escalou para o show, ao lado de Roberto Menescal, *Bossa, balanço e balada*, que substituiria o espetáculo *Pobre Menina Rica*, com Carlos Lyra, Vinicius e Nara, no Au Bon Gourmet. Mais curiosamente ainda, foi Thelma a cantora escolhida para gravar o disco com as músicas da peça de Lyra e Vinicius, entre elas, a "Maria Moita", que, como vamos ver, Nara já havia gravado em seu disco de estreia.

Nem Nara, moderna porém elegantemente vestida de orquestra, nem Elizeth, autêntica com seus ritmistas, ela abre *Thelma canta Nelson Cavaquinho* também com "Luz negra", numa gravação ousada, com arranjo de Radamés Gnattali calcada num órgão executado pelo próprio maestro. Ficou, talvez por isso, a mais datada das gravações, mas abrindo um disco inteiramente dedicado a Nelson Cavaquinho. Segundo Sérgio

Porto, nascido "da necessidade de fazer justiça ao veterano compositor — um dos mais inspirados de toda a História do Samba" — e até aqui sem nunca ter tido um disco "só seu".

Estava cumprida a missão, da qual Nara em seu primeiro disco foi figura central: a de revelar ao mundo Nelson Cavaquinho. O manancial de novidades e surpresas de Nara é que estava ainda longe de terminar. Com seu faro raro pelo novo, o passo seguinte seria ajudar a consolidar não um artista, mas todo um novo gênero musical.

8. "Chegou para lutar"

"Você não acha estranho que um samba fale em dinheiro?"
    Estranho, estranho ele até achava que era, mas havia gostado tanto da música que nem tinha pensado nisso, não sabia direito o que responder ao sujeito que o cutucara depois da música que alguém tinha acabado de tocar. Chico Buarque estava numa daquelas festinhas de bossa nova, promovida por algum colega de USP que gostava de música, todo mundo no chão, violão rodando de mão em mão, lá pelo início de 1964, em São Paulo, quando entre um "Chega de saudade", um "Barquinho" e um "Você e eu", alguém tentando fazer uma batida diferente no violão canta, em brados naturalmente mais altos:

> Quem de dentro de si
> Não sai
> Vai morrer sem amar
> Ninguém
> O dinheiro de quem
> Nao dá
> É o trabalho de quem
> Não tem
> Capoeira que é bom

Não cai
E se um dia ele cai
Cai bem

Mesmo sem saber o que responder em relação ao que achava de "dinheiro" ser cantado em samba, o jovem estudante de arquitetura que já começava a ensaiar suas primeiras composições percebeu ali, tanto pela pergunta do colega como pela nova letra de Vinicius de Moraes — a quem conhecia pessoalmente por ele ser amigo de seu pai, o historiador, sociólogo e escritor Sérgio Buarque de Holanda —, de que algo havia mudado não apenas em sua poética de 1959 para cá, "dos abraços e carinhos e beijinhos sem ter fim" para "o dinheiro de quem não dá é o trabalho de quem não tem". Afinal, algo havia mudado no próprio país e evidentemente em sua música.

Na verdade, como se fosse uma conspiração cósmica, aquele samba "Berimbau", de Baden Powell e Vinicius de Moraes, nascera quase que por acaso. Justo no momento em que, por quase três meses no início de 62, os dois varavam madrugadas no apartamento de Vinicius e Lucia Proença, no Parque Guinle, bebendo e compondo sem parar — caixas de uísque vazias sobravam das noites, literalmente, na proporção de lindas canções que seriam eternas, como "Samba em prelúdio", "Astronauta", "Deixa", "Só por amor", eram tantas que encheriam pelo menos três LPs nos meses seguintes, e com sobras.

Foi quando Vinicius recebeu um presente de seu amigo baiano Carlos Coqueijo Costa, juiz de direito, animador do clube de bossa nova local, onde já em 60 Vinicius dera uma palestra sobre o tema, ilustrada por João Gilberto e seu violão, e ele próprio bom compositor (autor de futuros clássicos como "É preciso perdoar"). O presente era um LP gravado ao vivo com pontos de candomblé, sambas de roda e toques de capoeira, música, enfim, do imenso universo negro da Bahia.

Ficaram alucinados com aqueles sons e aquelas formas musicais, para eles novas, pelo menos naquela radicalidade crua da gravação etnográfica, ainda não estilizada. Principalmente Baden, que nessa época fez sua primeira incursão em Salvador e conheceu a coisa *in loco*. Quando voltou ao Rio, Baden já chegou ao Parque Guinle com ideias novas, como um sambinha inspirado numa sequência propositadamente simples de cinco acordes de uma música de capoeira, com muito espaço para Vinicius contrapor sobre tal base harmônica um texto em prosa que serviria como uma saudação do poeta à música brasileira, que ele agora abraçava com mais afinco: o "Samba da benção", "de balanço nitidamente baiano", como ele definiria mais tarde.

Ainda sob os eflúvios da experiência baiana, Baden propôs algo de fato radical: um samba inspirado num canto de umbanda, cuja melodia que criou para a segunda parte sugeria ao letrista uma estrutura de perguntas e respostas, nascendo assim o "Canto do caboclo Pedra Preta", já todo inspirado no canto afro-baiano não apenas na melodia, mas também na letra do refrão — "Olô pandeiro, olô viola" —, pandeiro e viola já sugerindo o casal de homem e mulher em conflito, o que seria o tema do samba na segunda parte.

Mas foi apenas na terceira música que fariam naquele estilo que a forma definitiva do que eles estavam buscando chegaria. Já tarde da noite, Baden apresentou a Vinicius uma primeira parte de samba toda baseada numa capooira, o violão emulando o toque do berimbau, com uma mínima variação melódica sugerindo afirmações e respostas ao letrista, que se pôs a escrever na estrutura sugerida pela melodia insistente, repetitiva como o toque da capoeira.

Quem é homem de bem
— Não trai!
O amor que lhe quer
— Seu bem!
Quem diz muito que vai
— Não vai!
Assim como não vai
— Não vem!

Em pleno processo de politização de sua canção ao lado de Carlos Lyra e suas conexões com o CPC, Vinicius continua a letra da primeira parte incorporando à música inspirada na dança que os negros escravizados desenvolveram no Brasil a partir de uma forma de luta, um "protesto" em relação à exploração capitalista do trabalho. A tal parte do "dinheiro" que tanto impressionaria o colega de Chico Buarque:

Quem de dentro de si
Não sai
Vai morrer sem amar
Ninguém
O dinheiro de quem
Não dá
É o trabalho de quem
Não tem
Capoeira que é bom
Não cai
E se um dia ele cai
Cai bem

Aí, num lance de gênio, da melodia monocórdia da primeira parte, como se fosse um toque de capoeira, Baden faz uma virada para a segunda parte na forma de um samba vibrante, já com ricas variações melódicas e harmônicas, como um refrão, que Vinicius vai letrar seguindo a ideia de capoeira, como se o toque do berimbau fosse a preparação para a luta que se daria depois.

Capoeira me mandou
Dizer que já chegou
Chegou para lutar
Berimbau me confirmou
Vai ter briga de amor
Tristeza, camará

Assim, *avant la lettre*, nascia na madrugada de Laranjeiras um gênero para o qual, somente quatro anos depois, Vinicius enfim encontraria um nome adequado: os afrossambas. Nome finalmente estabelecido quando ele, Baden, o Quarteto em Cy e a cantora Dulce Nunes gravaram, em 1966, toda uma série deles em um LP que lançava com atraso o "Canto do caboclo Pedra Preta", mas excluía "Berimbau", "que só por ser demais conhecido não consta desta série, embora a ela pertença", como Vinicius deixaria claro no texto de contracapa.

De fato, como também narraria mais tarde Vinicius, depois que, entre outras composições naquele surto criativo que estavam vivendo em 1962, ele e Baden concluíram "Berimbau", "ficamos cantando e cantando o samba até o sol raiar". "E eu disse a Baden: isso tem pinta de sucesso", vaticinou Vinicius com aquela mesma certeza que assombraria Carlos Lyra na previsão poética que faria do golpe de 64 na "Marcha da Quarta-feira de Cinzas".

"Berimbau" é o protótipo do afrossamba, gênero criado quase que por acaso por Baden e Vinicius, pela coincidência da chegada do disco enviado por Coqueijo e da busca da ala mais, digamos, politizada da Bossa Nova por incluí-la na tradição do samba, não contrapô-la. No mesmo movimento consciente que Carlos Lyra e o pessoal do CPC buscavam a música "operária" brasileira no samba tradicional e a música "camponesa" nos xotes, xaxados e baiões do sertão nordestino, quase que inconscientemente, movidos pela atração irresistível por aqueles cantos, Baden e Vinicius desenvolviam uma linguagem moderna a partir da música negra da Bahia.

Não era muito diferente do movimento que se armava, também algo por acaso, em torno da casa de Cartola na rua dos Andradas e que redundaria no Zicartola. Ou, mais especificamente, da visão que o poeta e produtor Hermínio Bello de Carvalho teve, no Dia de Nossa Senhora da Glória de 1962, quando voltando por acaso da praia viu Clementina de Jesus entoar seus cantos, velhos sambas e macumbas a uma mesa da Taberna da Glória, logo ali embaixo do Outeiro, onde ela fora momentos antes celebrar a santa do dia. Era o 15 de agosto de 1962, mesmo dia em que Vinicius continuava a sua temporada de shows ao lado de Tom Jobim e João Gilberto no Bon Gourmet, em que estreava o "Samba da benção", primeiro quase afrossamba a ser cantado em público. Conjunção aparentemente cósmica, mesmo.

"Berimbau", por sua vez, já era um afrossamba típico: uma primeira parte necessariamente inspirada num daqueles gêneros musicais baianos e ancestrais — em geral modais, como grande parte da música de origem africana — que desemboca num samba na segunda parte, necessariamente tonal, seguindo os padrões harmônicos da música ocidental. Além de o efeito ser poderoso, daí o imenso sucesso de muitos afrossambas da dupla, como o "Canto de Ossanha", Baden e Vinicius estavam praticamente descobrindo em forma de canção a própria gênese da música brasileira moderna. A cada afrossamba era como se a música brasileira, ou pelo menos o samba, começasse de novo: do choque de uma música de origem africana com a música europeia nasce uma terceira coisa, originalíssima, o samba. Cada afrossamba é uma demonstração disso, como se cientistas conseguissem refazer o Big Bang, reproduzir, aos nossos olhos, o início das coisas.

Era natural, àquela altura, que compondo tanto e com tal ímpeto, e fazendo até show, Vinicius chegasse a ponto de gravar um disco cantando. Na verdade, e sempre pelas mãos de Aloysio de Oliveira, Vinicius já havia gravado uma faixa em 1960, na Philips, no disco coletivo *Bossa nova mesmo*, no qual ao lado de artistas como Sylvia Telles, Lúcio Alves, Carlos Lyra e o conjunto de Oscar Castro Neves, ele cantava, lá pelas tantas, um samba um tanto quanto desconjuntado, letra e música suas, "Pela luz dos olhos teus" — que mais de uma década depois, rearranjado por Tom Jobim como valsa, sua melhor e verdadeira forma não percebida pelo compositor, faria grande e merecido sucesso na voz de Miúcha.

O álbum *Bossa Nova mesmo* foi a primeira tentativa da Philips de trazer o novo gênero para as suas hostes, depois do sucesso dos dois primeiros discos de João Gilberto na Odeon. A gravadora de origem holandesa roubara da inglesa o produtor, Aloysio — que trouxe com ele o artista gráfico Cesar Villela e o fotógrafo Chico Pereira, que já naquela capa aplicavam os princípios de base que se tornariam parte de sua gramática visual inovadora (tipologia irregular, design construtivista e fotos de instrumentos musicais processados em alto-contraste — além dos artistas identificados com a nova música).

A presença de Vinicius era mais do que charme de Aloysio para um de seus primeiros discos na Philips: era um projeto mesmo de transformá-lo em cantor e, assim, levar aquele jeito da bossa nova de fazer música, informalmente, na casa das pessoas, na voz dos próprios autores e não necessariamente na de cantores profissionais, para o disco. A temporada de Aloysio na Philips não duraria muito. Ele, que saiu da direção artística da Odeon quando ela dispensou justamente Sylvia Telles, Lúcio Alves e Sérgio Ricardo, o núcleo de cantores modernos que ele havia formado em torno de João Gilberto, começou a notar que teria as mesmas dificuldades na gravadora holandesa, certa falta de autonomia artística, pelo menos para os seus rigorosos padrões.

Depois de convencer Vinicius a estrelar um show em boate — e do imenso sucesso que foi —, não seria difícil convencê-lo agora a gravar um disco. Sim, Vinicius de Moraes faria, como cantor e naturalmente compositor, o primeiro disco que Aloysio de Oliveira imaginou para, finalmente, a sua própria gravadora, a Elenco, que não tinha esse nome à toa, seria dedicada exclusivamente aos artistas de seu elenco, sem outras injunções comerciais das gravadoras convencionais. E seria, na cabeça de Aloysio, a gravadora da bossa nova como ela era, não as nunca muito bem-acabadas tentativas da Philips de fazer bossa nova, nem as da Odeon em não fazer, contente que estava em ser apenas a etiqueta dos bem-sucedidos discos de João Gilberto.

Por essa época, passou a morar no Rio, num amplo apartamento na praça do Lido, com vista para o mar de Copacabana e coincidentemente muito próxima do Bon Gourmet, a atriz paulista Odete Lara, já uma estrela do cinema brasileiro que viera para o Rio filmar *Boca de Ouro*, de Nelson Pereira dos Santos, baseado na peça de Nelson Rodrigues. Odete não apenas não saía do Bon Gourmet — na estreia no show em 2 de agosto de 1962 liderava esfuziante e fotografadíssima a mesa com o pessoal do cinema, gente como o casal formado pelo diretor Anselmo Duarte, que acabara de ganhar a Palma de Ouro em Cannes com *O pagador de promessas*, e a atriz Ilka Soares —, como acabou ficando amiga da turma da música. Depois dos shows, todos, principalmente Vinicius e Baden, passaram a continuar a noite no amplo salão de Odete, onde terminavam muitas das canções que estavam fazendo. E Odete aprendia as canções e, atriz experiente que era, além de muito musical, fazia as vozes femininas quando necessário nos saraus que iam até o sol raiar.

Foi numa dessas noites que, ouvindo Odete Lara cantar com Baden e Vinicius, Aloysio teve a ideia: o primeiro disco da Elenco seria *Vinicius e Odette*, o cúmulo da informalidade e do jeito *cool* que o produtor sonhava transpor para o disco.

"As músicas são todas de Baden e Vinicius. Vinicius canta como um poeta deveria cantar. Odete canta como uma atriz deveria cantar. Tudo é uma mistura de música, poesia e bom gosto. A única preocupação foi manter a completa naturalidade dos dois intérpretes", escreveria depois Aloysio no texto de contracapa do disco, deixando claro de que se tratava de uma continuidade da vida do dia a dia, ou melhor, das noites e madrugadas entre amigos: "Não é um LP de rotina, e sim gerado pelo calor e admiração entre todos os que tomaram parte nele, direta ou indiretamente."

Diretamente, Baden e Vinicius fizeram as músicas, ele e Odete as cantam sozinhos ou em dueto — o lírico "Samba em prelúdio" e o afrossamba também *avant la lettre* "Labareda" seriam grandes sucessos do duo —, Aloysio produziu e o maestro Moacir Santos fez os arranjos. Na capa, evidentemente de Cesar Villela e Chico Pereira, a estética da Elenco já estava definida logo no primeiro disco: Vinicius, *cool*, sentado num banquinho, Odete faz pose de diva ao lado, ambos em fotos reproduzidas em alto-contraste, em preto e branco, o título valorizando o "&" mais do que os nomes dos artistas, tudo em preto sobre fundo branco e três bolinhas em vermelho geometricamente espalhadas pela capa, além da bola vermelha dentro de uma moldura preta que era o logotipo da nova gravadora, a primeira do Brasil com assinatura de seu diretor artístico: Elenco, de Aloysio de Oliveira.

"Berimbau", música inédita pela qual Vinicius estava apaixonado, abria o disco, cantada só por ele, como um poeta e com gosto, mastigando, saboreando cada palavra. E o arranjo de Moacir Santos explorando o berimbau e os acordes simples de violão, a expectativa criada pelos sopros na primeira parte, a segunda abrindo-se espetacularmente em samba com direito a piano, cordas, flauta e demais sopros.

Indiretamente, como bem diz Aloysio no texto de contracapa, muita gente "tomou parte" na criação do LP, o que dava aquele resultado informal que ele sonhara.

Pois certa noite, na casa do pianista Bené Nunes e da cantora Dulce Nunes — que promoviam em torno do piano reuniões habituais de bossa nova começando no estrogonofe de sábado de madrugada, para segurar os exageros etílicos da noite, e estendendo-se até a feijoada de domingo —, recém-chegada ao Rio, Odete Lara percebeu uma moça, que ela já conhecia de algum lugar, dedilhando um violão. Sim, era aquela "moça discreta, bem-vestida, com vasta franja cobrindo a testa", que saía do consultório do seu psicanalista sempre que ela chegava para a sessão. "É Nara Leão, não conhece? O pessoal se reúne muito na casa dela também", respondeu-lhe um músico na festa, quando Odete perguntou quem era aquela moça.

Intimidadas uma com a outra — pela timidez das duas e pelo conhecimento primeiro ter se dado na sala de espera de um psicanalista, coisa não muito comum para duas moças daquele tempo —, elas começaram a se encontrar nas reuniões de música. E Nara intrigava Odete. "O que podia fazê-la ir ao psicanalista?" Aos poucos, passou a ter certas suspeitas: "Ela era reservada, observadora e retraída, como eu. Tocava violão, mas só atendia aos pedidos para cantar quando a insistência passava dos limites. Sua voz então saía contida, quase inaudível."

Não demorou muito, Odete passou a frequentar também a casa de Nara com o restante da turma. E soube que ela dava aulas de violão. Quando se tornou sua aluna, já que estava entrando nesse negócio de música a partir da ideia de Aloysio, é que as duas finalmente ficaram amigas. A ponto de uma provocar a outra em relação à psicanálise. "Que problema pode ter uma *vamp* de cinema diante de quem os homens devem tombar?", zoava Nara. "Que problema pode ter uma filhinha de mamãe como essa, a quem nada deve faltar?", retrucava Odete. Ambas, coisa raríssima para a época, frequentavam o consultório do psicanalista Ivan Ribeiro, um dos pioneiros da psicanálise no Brasil.

O fato é que foi nessas aulas, e na presença de Odete, que Nara começou a tocar, igualmente encantada, "Berimbau". Apaixonou-se, virou uma música de certa maneira sua. Aluna àquela altura de Moacir Santos, com quem estudava harmonia, assim como Baden, Nara compreendeu profundamente aquela proposta musical nova do compositor, que atribuía sua criação, sim, ao disco de macumbas e capoeiras da Bahia, mas também a exercícios musicais propostos por Moacir a partir do modalismo da música afro-brasileira, a que também Moacir estava começando a se dedicar como compositor.

"Berimbau" ficou tanto na mão e na cabeça de Nara que no próprio show que marcaria sua estreia profissional, em 28 de março de 1963 no Bon Gourmet, ela, que não pertencia necessariamente ao repertório, acabou entrando na apresentação.

Nara já havia cantado em público antes, mas em apresentações informais e coletivas de bossa nova. No famoso show da Escola Naval, por exemplo, em 60, o segundo da turma em público, Nara entrou no palco tão intimidada que cantou "Se é tarde me perdoa", de Carlos Lyra e Ronaldo Bôscoli, e "Fim de noite", de Chico Feitosa e também de Ronaldo, amparada pelo então namorado e autor das letras das duas músicas, que também segurava seu microfone. E cantou de costas para a plateia, sendo ovacionada não se sabe se apesar ou por causa mesmo dessa timidez, aliada à sua boa apresentação, acostumada que estava a cantar justamente essas duas canções nas reuniões em sua casa.

Na noite de 28 de março era diferente. Nara foi convidada pelos compositores Carlos Lyra e Vinicius de Moraes para que fosse a voz feminina das canções da peça musical que haviam acabado de criar, *Pobre Menina Rica*. Empolgados com a ideia da peça — a improvável história de amor de um mendigo, que vivia em uma comunidade num terreno baldio, e de uma moça burguesa que morava no prédio ao lado —, e sobretudo com a profusão de lindas canções que fizeram para ela, os dois não queriam esperar os trâmites da produção de um espetáculo musical e transformaram a peça em um *pocket show*, apropriadamente chamado *Trailer*.

No show, Vinicius narrava a história da peça em cenas, e até alguns diálogos, e cantava as músicas ao lado de Carlos Lyra e Nara, os dois com seus violões, direção de Aloysio de

Oliveira e direção musical do também jovem Eumir Deodato, que tocava piano.

Para muitos, Nara era a própria "menina rica": a garota burguesa criada de frente para o mar, mas em crise — fazia até psicanálise — e mais interessada em descobrir a cultura popular do que nos prazeres mundanos da sua classe social. Tanto que, de todas as lindas canções da peça, a que ela escolheria para gravar em seu primeiro disco não seria uma canção da personagem-título, mas "Maria Moita", o tema de uma das mendigas da comunidade do terreno baldio.

No show, contudo, Nara fazia todas as canções da peça para voz feminina. E cantava ainda outras músicas de Vinicius que também entraram no repertório. Foi com orgulho que, da plateia, Odete Lara viu Nara Leão praticamente estrear "Berimbau" em público, antes mesmo do lançamento da gravação de Vinicius. E foi um dos números do show que mais chamaram a atenção da crítica. Mesmo um cronista mal-humorado em relação à bossa nova, especialmente implicante com cantores de voz pequena, Mister Eco teve de se render à interpretação de Nara para o novo samba de Baden e Vinicius. No jornal *Última Hora*, Mister Eco escreveria:

> Nara Leão é moça muito afinadinha, de bom timbre, e dedilhando um violão promissor. Mas com a voz no tom do travesseiro, Nara tem seu grande momento em "Berimbau", cuja música é de Baden Powell. Não se deu conta de que se tratava de uma estreia, a sua estreia, principalmente, e cantou firme, serena, com a segurança de uma veterana. Tolhida, todavia, travada, com a voz de passarinho mal saído do ninho. Coragem, moça! Contrarie os cânones da bossa nova e dê liberdade à sua voz. Não se assuste. Você tem as ferramentas.

Nara ficaria em cartaz no Bon Gourmet com *Trailer* por três semanas, com imenso sucesso, do público que lotava a casa e da crítica, que quase por unanimidade consagrou as canções e os cantores. Resumindo o espírito geral, a jornalista Teresa Cesário Alvim escreveu que se a expectativa era de que a inexperiente Nara fosse eclipsada pelos dois compositores em cena, ela de fato surpreendeu e recebia tantos aplausos quanto os dois: "Nara Leão está lançada", resumiu.

Não que a tímida Nara tivesse deslanchado depois da temporada de três semanas de seu show de estreia. Mas ela saiu de lá convidada por Aloysio de Oliveira para gravar seu primeiro disco na Elenco, e já com duas músicas certas no repertório, além de "Maria Moita", que também fazia grande sucesso em sua voz, "Berimbau" — ambas combinando com a sua intuição de buscar canções diferentes da bossa nova clássica, habitual.

Entre o fim de abril de 63, quando terminou a temporada de *Trailer*, e o início de agosto, quando começou a gravar o disco, Nara passou praticamente o tempo todo convencendo Aloysio a aceitar seu repertório. "Ele acabou concordando, mas foi uma guerra", afirmaria Nara, como que imbuída do espírito dos capoeiras de "Berimbau".

Entre abril e agosto de 63, mesmo ainda não se reconhecendo como profissional da música, ela foi fazer um show em São Paulo, na Universidade Mackenzie, um programa de TV no Recife e até uma aparição em junho na TV Excelsior, no programa *Ponto Rio*, da dupla Miele e Bôscoli, seu ex-namorado e com quem não falava.

Como que já tentando inverter as expectativas em torno do seu aguardado primeiro disco, e convidada a escrever um artigo para a revista *O Cruzeiro*, Nara fez questão de dizer que a bossa nova não havia nascido na sua casa nem na casa de ninguém. E minimizou o movimento do qual era considerada musa, ou, pelo menos, digna representante. "A bossa nova, que se apresentava como um movimento renovador — e foi até determinado momento — tornou-se caduca, acadêmica", escreveu, na primeira de uma série de admoestações à Bossa, seja em artigos, seja em entrevistas.

Poucos dias antes de entrar em estúdio, numa entrevista para a *Última Hora* feita em conjunto com seu amigo Augusto Boal, diretor do Teatro de Arena e ligado ao CPC, ela esculhamba o ex-namorado e líder da turma da Bossa Nova diretamente:

> Você pode não acreditar, mas tem muita gente que escreve uma canção inteirinha na base de uma frase como esta: "Lá se vai mais um dia assim." Precisa continuar, mas não consegue imaginar nada que preste. Escreve: "E a vontade que não tenha fim." Como não pode acabar aí, escreve tudo que vem à cabeça: "Vou chegar ao fim/ Essa onda cresceu/ Morreu a seus pés/ E olha pro céu, que é tão bonito/ E olhar pra esse olhar perdido/ Nesse mar azul." Então o compositor descobre que já esgotou todos os temas marinhos e que ainda não disse nada. Mesmo assim, não se perturba e vai em frente. "Outra onda nasceu/ Calma, desceu sorrindo/ Lá vem vindo." E fica nisso. Para variar um pouquinho, tem uma ideia luminosa: "Vai subindo uma lua assim/ É a camélia que flutua, nua, no céu." E lá vem mais luas, camélias nuas, quartos crescentes, quartos minguantes, tristezas e sofrimentos, mas tudo da boca pra fora. Não é mole, não, Boal: letra de Ronaldo Bôscoli é fogo!

Mais do que doce vingança, afinal a canção que esculhambava na entrevista, "Nós e o mar", fora feita para ela, mas lançada justamente por Maysa, o pivô de sua separação de Ronaldo Bôscoli; mais do que sinal de independência artística, afinal "Nós e o mar" era um dos maiores sucessos da bossa nova na virada de 1962 para 63, foi gravada por diversas cantoras e cantores após o lançamento de Maysa e seria uma das canções do disco que a própria Elenco estava preparando de Lúcio Alves cantando exclusivamente canções de Menescal e Bôscoli; mais do que querer criticar politicamente as letras "sem intenção", alienadas, da bossa nova, o fato é que a entrevista malcomportada demonstrava antes de tudo que a cabeça de Nara já estava virada. "Não havia quem me convencesse do contrário", admitiria depois.

Nas discussões com Aloysio, Nara aceitava, é evidente, o desejo do produtor de que ela cantasse músicas de Baden e Vinicius — ambos da Elenco de primeira hora, Baden foi um dos artistas da Philips que o produtor roubou para a própria gravadora. Mas que fossem músicas naquele jeito novo, brasileiro e de inspiração popular, que eles estavam compondo.

A gravação de "Berimbau" por Nara Leão, com arranjo de Lindolfo Gaya, na verdade representa perfeitamente uma síntese das discussões da cantora com Aloysio de Oliveira. Não é uma bossa nova comum, como a dupla também fazia naquela época, coisas como "Astronauta" ou "Deixa", mas também não é apresentada como um afrossamba radical. O som do berimbau, ainda estranho aos ouvidos do Brasil naquele momento e que está explícito na gravação de Vinicius, na versão de Nara é estilizado na primeira parte pela orquestra e pela bateria. A intensa expectativa na primeira parte é criada pelo desenho de cordas escrito por Gaya, que vai se desenvolver no arranjo de orquestra exuberante da segunda parte. O violão que acompanha toda a canção o faz com a batida da bossa nova, como que suavizando a imensa novidade proposta pela música.

Da mesma forma que fizera com as músicas "de morro", a dupla Nara-Aloysio de Oliveira criou um *standard*, mas um *standard* dialético para a música brasileira. Nara veio com a tese, um radical samba afro; Aloysio com a antítese, um formato bossa-nova, e "Berimbau" foi a síntese: e a música de vanguarda de Baden e Vinicius transformou-se num tremendo sucesso, com muitas regravações no decorrer de 64.

Vinicius, que foi para Paris assumir seu novo posto diplomático ainda no fim de 63, escreveria uma famosa carta para Tom Jobim em 7 de setembro de 64 que dá bem a dimensão do que o afrossamba pioneiro representou para ele naquele momento.

> Fiquei muito feliz com o sucesso de "Berimbau" aí no Brasil. Parece que estão tocando a musiquinha para valer. Fico muito feliz pelo Baden. E, pra que mentir, por mim também. É bom saber que o povo não nos esqueceu, continua cantando as nossas coisas...

"Se não tivesse o amor"

Mais de um ano antes, em sua incontornável capacidade de adivinhar o futuro (ou de discretamente ajudar a construí-lo), Vinicius de Moraes escrevia em maio de 63: "Agora, cinco anos depois, volta a Divina a cantar coisas minhas com alguns novos e sensacionais parceiros, Moacir Santos e Baden Powell, que, não tenho dúvida, serão as grandes revelações de 1963."

No texto de contracapa, manuscrito, que fez para o LP *Flizoto interpreta Vinicius*, o poeta refere-se à *Canção do amor demais*, o famoso disco de Elizeth Cardoso de cinco anos antes, que não apenas consagrara a dupla Tom Jobim e Vinicius de

Moraes, junta desde 1956, quando se reuniu pela primeira vez para fazer as canções da peça *Orfeu da Conceição*, como também a própria canção moderna brasileira:

> E o que pode ser considerado o marco inicial do movimento da Bossa Nova, "Chega de saudade". Nele, pela primeira vez, ouvia-se o novo balançado, provindo de um violão todo enxuto que acompanhava Elizete: o violão de João Gilberto, quase um ano antes do seu espetacular aparecimento como cantor.

Vinicius intuía que seus dois novos parceiros, como se dera com Tom em 58, pela voz de Elizeth seriam eles próprios consagrados como compositores. Não que eles já não fossem conhecidos. Garoto-prodígio do violão brasileiro, aluno do maior violonista acompanhador da música brasileira, Jaime Florence, o Meira, aos 10 anos Baden já era admirado por Pixinguinha, aos 11 acompanhava Cyro Monteiro e ganhava nota máxima no programa de calouros de Ary Barroso, aos 15, já emancipado, começou a tocar na noite, aos 20 já acompanhava os maiores cantores brasileiros e aos 22, em 1959, lançou seu primeiro disco como solista. Onze anos mais velho que Baden, e naquele momento seu professor, Moacir Santos era desde 1948 músico da Rádio Nacional, multi-instrumentista de sopros, e logo depois foi promovido a maestro da rádio, aclamado pelos músicos.

Com quilos de partituras de orquestração nas costas, e tendo feito algumas trilhas para cinema, Moacir Santos era, no entanto, compositor praticamente inédito em gravações comerciais. E Baden, com toda a sua vocação para criar melodias, mesmo com uma longa carreira como violonista, emplacara apenas um pequeno sucesso, "Samba triste", em parceria com

Billy Blanco, lançado por Lúcio Alves e regravado por várias cantoras, inclusive Elizeth, uns dois anos antes.

Quando começou a compor com Baden, por volta de 61, e por intermédio dele se aproximar de Moacir, Vinicius percebeu que não estava apenas diante de dois novos parceiros, mas talvez prestes a dar uma nova guinada na música brasileira como aquela anunciada por Elizeth Cardoso em *Canção do amor demais*, em 1958. Tanto que, já no "Samba da benção", entre tantas figuras sagradas da música brasileira e parceiros seus de obras consagradas, Vinicius decidiu pedir a benção a um parceiro inédito, e dando ares míticos a ele: "A benção, maestro Moacir Santos, que não és um só/ És tantos, tantos como meu Brasil de todos os santos."

A impressão só ficou mais forte quando Baden chegou uma noite ao Parque Guinle com um samba todo diferente. Era um samba curtinho, mas mesmo assim em três partes. De nítido sabor afro, no entanto não se parecia diretamente com aqueles pontos de macumba ou toques de capoeira do disco que Carlos Coqueijo enviara da Bahia e os estava inspirando tanto para as músicas novas, embora fosse de alguma forma aparentado: uma primeira parte modal, com uma melodia insistente, repetitiva, que se encerrava de forma descendente, até uma misteriosa nota grave que se repetia duas vezes, a qual evoluía para um sambão em tom maior na segunda parte que, depois de um breque, ganhava uma espécie de *coda*, uma frase melódica final.

Baden fizera aquele samba a partir de exercícios de música modal que lhe foram passados por Moacir Santos. E, apropriadamente, soou a Vinicius como um daqueles sambas afro que estava fazendo, só que nascido da incrível imaginação melódica de Baden. E ele o letrou como os outros, a primeira parte misteriosa, de questionamentos existenciais profundos, mas através de versos simples, como numa oração, com o último verso quase sussurrado depois de a melodia ir para as notas baixas:

> Se não tivesse o amor
> Se não tivesse essa dor
> E se não tivesse o sofrer
> E se não tivesse o chorar
>
> Melhor era tudo se acabar
> Melhor era tudo se acabar

Como na cartilha que estavam inventando para os afrossambas, a segunda parte, com pequenas variações melódicas, é um samba, e Vinicius muda a forma da letra para a de um samba de lamento tradicional, de louvação aos sofrimentos do amor.

> Eu amei, amei demais
> O que eu sofri por causa do amor
> Ninguém sofreu
> Eu chorei, perdi a paz

E o breque inesperado faz com que os dois primeiros versos da *coda* sejam cantados *a capella*, com o samba voltando apenas no último verso.

> Mas o que eu sei
> É que ninguém nunca teve mais
> Mais do que eu

A misteriosa melodia afro feita por Baden Powell a partir dos exercícios musicais de seu professor Moacir Santos resultaram em música originalíssima, na qual Vinicius de Moraes pôde colocar em poucos versos toda a sua, digamos, ideologia amorosa: que sem o amor e suas consequências — a dor, o sofrer e o chorar — a vida não só não faz sentido, como também é de uma pobreza desprezível. Que amar e sofrer seja o único destino desejável.

"Consolação" foi a metáfora que Vinicius encontrou para dar título a essa ideia e ao samba novo, uma das quatro músicas da dupla Baden e Vinicius que Elizeth grava no seu segundo disco dedicado à obra do poeta, o único afrossamba entre canções lindas e densas como "Valsa sem nome" e "Canção do amor ausente", e o samba de formato tradicional que abre o disco, "Mulher carioca". As primeiras canções gravadas de Moacir Santos dividem com as de Baden a primazia do disco, também parcerias com Vinicius mais densas, canções quase de câmara, como o samba-canção "Triste de quem" ou "Lembre-se", o samba "Se você disser que sim", e até uma peça infantil que lembra o formato dos afrossambas, "Menino travesso", uma bronca em forma de canção, a primeira parte modal também evoluindo para um samba na segunda parte, o professor Moacir Santos dando uma espécie de aula prática.

O disco *Elizete interpreta Vinicius* — que também continha uma regravação de "Pela luz dos olhos teus"; a última música de Vadico, o grande parceiro de Noel Rosa, numa alentada parceria com Vinicius, o samba "Sempre a esperar"; e outro novo parceiro, não por acaso um baiano da turma de Carlos Coqueijo, Nilo Queiroz, com "Ai de quem ama" — nunca teria o mesmo impacto do *Canção do amor demais*, como um dia Vinicius acreditou. Os tempos haviam mudado muito de 58 para 63, canção moderna agora era mato.

Mas as novidades que o disco discretamente anunciava, e Vinicius logo percebeu como revolucionárias — no mesmo sentido em que a Bossa Nova foi revolucionária em seus primeiros momentos —, mostram que o faro do poeta para o novo continuava aguçado. Se não ainda para o público, para o meio musical brasileiro, sim: as maiores revelações de 1963 seriam, como compositores, Baden Powell e Moacir Santos, este também responsável pelos arranjos do disco de Elizeth, no qual a orquestra, e sobretudo o uso dos naipes de sopro e de percussão traziam uma nítida novidade, uns sons novos desenhados pela orquestra, mais densos, uma distinta sonoridade. Digamos, afro.

Ainda de forma primitiva e experimental, Baden apresentava os afrossambas e Moacir Santos, a forma de escrita orquestral que seria a base de seu primeiro disco, dois anos depois, *Coisas*, no qual numeradas de uma a dez, ele apresentava suas composições instrumentais de inspiração afro-brasileira, aprimorando aquele estilo de escrita orquestral apresentado no disco de Elizete e nos trabalhos que estava começando a fazer em trilhas sonoras de filmes.

Aluna de Moacir Santos, Nara o traria para o seu primeiro disco ou melhor, seria convidada por ele, em 63 mesmo, para fazer os vocais de uma composição sua para a trilha do filme *Ganga Zumba*, de Cacá Diegues. A música, "Nanã", tema principal do filme, Nara levaria para o seu disco de estreia. Mas das novas composições de Baden e Vinicius que ela teve o desejo de gravar, além de "Berimbau", estava justamente aquela composição estranha, inovadora, lançada por Elizeth.

A gravação de Nara de "Consolação", com arranjo de Gaya, se não tem a orquestração grande e impactante de Moacir Santos para Elizeth, é, no entanto, ainda mais didática e reveladora do estilo que Baden e Vinicius estavam buscando. Também baseada num desenho de sopros e na batida monocórdia do violão, a primeira parte vem cheia de expectativas das perguntas da letra. A segunda parte modula para um samba em tom maior e o breque antes da *coda* é acentuado, realçado, aumentando o impacto dos versos cantados *a capella*, com o final levado pelo violão em batida de bossa nova e um bonito desenho de orquestra de cordas escrito por Gaya.

Como que seguindo conselhos, Nara solta a voz em "Consolação", canta firme e decidida, para fora, sem os pruridos da bossa nova. Mas, ao contrário de Elizeth, que diante da dramaticidade da canção inclui alguns efeitos, como vibratos, Nara canta de forma mais moderna, mais bossa-nova, sem qualquer efeito vocal, realçando a novidade que aquela canção representava.

Como "Berimbau", "Consolação" teria inúmeras gravações a partir de 64, sobretudo instrumentais, aproveitando-se de seu formato inusitado e original para o improviso dos músicos, inclusive fora do Brasil, a partir de uma gravação do flautista americano Herbie Mann.

Gravados ao lado dos sambas "de morro" e das canções políticas de Carlos Lyra e Edu Lobo, os dois protótipos de afrossambas de Baden Powell e Vinicius — mesmo "Berimbau", gravado antes pelo próprio poeta, e "Consolação", por Elizeth — ganhavam no disco de Nara a sua verdadeira dimensão, a mesma sonhada por Vinicius e a que provocava estranheza no colega de Chico Buarque na festinha de bossa nova: a de que eles indicavam que algo havia mudado mesmo no país, e em sua música. E de que, a partir daí, ninguém mais estranharia que sambas falassem em dinheiro.

"Vou por aí"

O artigo que escreveu para *O Cruzeiro* apontando certa estagnação da Bossa Nova, e a entrevista para a *Última Hora*, esculhambando mais Ronaldo Bôscoli, além da certa "alienação" e do descompromisso das canções de sua antiga turma, refletiam sobretudo o ímpeto de Nara Leão em gravar seu primeiro disco do jeito que queria. "Eu achei que ia fazer aquele disco e depois ia parar, mas achei que ali tinha oportunidade de dizer coisas. E eu não podia perder essa oportunidade de falar", explicaria Nara. "Esse primeiro disco, para mim, foi para falar coisas que achava importantes, falar dos problemas brasileiros. Eu tinha muito a ideia de reportagem musical, mostrar ao pessoal de Copacabana o que o morro faz. Reportagem mesmo."

Mas mesmo seus amigos mais próximos da Bossa Nova na época não entenderam assim.

"Causou um ódio profundo", confessaria seu amigo de infância — e da vida inteira — Roberto Menescal, autor da melodia de "Nós e o mar", cuja letra fora estraçalhada por Nara na entrevista. "Eu fiz uma coisa horrorosa", confessaria também Nara. "Eu não sei como me receberam depois de braços abertos, porque foi terrível mesmo. Mas é porque eu queria gravar aquelas coisas 'de morro', não queria gravar bossa nova nenhuma, queria gravar as coisas do Baden, sim, mas as que tinham mais influência afro."

E Nara achava sinceramente que a nova gravadora de Aloysio de Oliveira seria o lugar ideal para isso. "Ele juntou tudo e fez uma gravadora com coisas brasileiras", admirava-se.

Tanto que ela entrou de cabeça na turma da Elenco, como a imprensa começou a tratar o seleto elenco que Aloysio reuniu na gravadora. E, mesmo não sendo boêmia e até rejeitar varar noites fora das reuniões propriamente musicais, passou a frequentar as boates para shows de colegas de gravadora, como a cantora Sylvinha Telles. E ela mesma, a partir de janeiro de 64 faria sua própria temporada de shows na boate Bottle's, no já famoso Beco das Garrafas, a primeira temporada mais longa de sua carreira, na qual se apresentava acompanhada por um trio de piano, baixo e bateria, mas também da violonista Rosinha de Valença, uma rara mulher instrumentista num ambiente notadamente masculino.

Aloysio de Oliveira era, de fato, o mais experiente e preparado produtor de discos e shows do Brasil. Da geração de Vinicius, fundou o seu próprio conjunto vocal, o Bando da Lua, ainda em 1928, participando da geração que estabeleceria o samba como a música carioca, brasileira até, por excelência nos anos 1930. Em 1939, foi com o Bando da Lua aos Estados Unidos para serem o conjunto acompanhante de Carmen Miranda — exigência da própria cantora.

Lá, ele se recusaria a ser o "Mr. Miranda" — rompendo um namoro com Carmen, mas de quem ficaria amigo até o fim da vida da cantora. Além dos shows e filmes ao lado de Carmen, trabalhou na Disney como locutor e dublador (para o Brasil) e chegou a cantar "Aquarela do Brasil" no filme *Alô, amigos* e trabalhar como ator em *Você já foi à Bahia?*, além de escrever dezenas de versões de música americana para o português.

Quando voltou ao Brasil, em 1955, era um experiente produtor, como no país ninguém conseguiria ser, e tinha a melhor informação, angariada na meca do entretenimento por quinze anos.

Foi logo contratado como diretor artístico da Odeon no Brasil, onde revolucionou, como já foi dito, a arte das capas — em parceria com a dupla Cesar Villela, designer, e Francisco Pereira, fotógrafo. Até a chegada de Aloysio à Odeon, aliás, as capas eram geralmente burocráticas — a foto de alguma modelo bonita ou de alguma paisagem que tivesse alguma coisa a ver com o clima do disco. Aloysio não apenas reforçou o conceito de capa personalizada para cada disco, para que ele fosse reconhecível mesmo a distância nas lojas, como também já chegou introduzindo um design moderno — construtivista, limpo, bem organizado — e com fotos bem trabalhadas, até com a utilização de recursos como o alto-contraste e outros efeitos de luz.

Na música, Aloysio inovaria ainda mais. Sua ideia na Odeon era gravar a nova música moderna e de altíssima qualidade que viu, surpreso, quando desembarcou no Brasil. Nos quinze anos que ficou fora, acompanhando o samba a distância, não viu a modernização da música brasileira, sobretudo através do samba-canção, num processo que começou lá em Ary Barroso, Vadico, Noel Rosa, Custódio Mesquita, que ele conhecia bem, e acabaria na Bossa Nova que, antes de ganhar nome e fama, ele encontrou, prestes a nascer, em sua volta ao Brasil. Trouxe para a gravadora artistas que tinham essa característica moderna, como Lúcio Alves, Sylvia Telles (com quem viria a casar), Sérgio Ricardo e, talvez a maior revelação a seus olhos, Tom Jobim como compositor e arranjador. Era uma espécie de núcleo moderno dentro da gravadora.

Convencido por Tom, aceitou lançar João Gilberto como cantor. E fez *Chega de saudade*, o seu primeiro LP, com tudo a que tinha direito: repertório impecável dos novos da bossa nova e de veteranos que se enquadravam no novo estilo, seus velhos amigos Dorival Caymmi e Ary Barroso, arranjos de Tom e capa da dupla Cesar Villela e Chico Pereira já explorando tipologias novas, formas geométricas e uma foto com superexposição de luz. Estava lançada, pelas mãos de Aloysio, a Bossa Nova.

Insatisfeito na Odeon pelo não aproveitamento de seus artistas modernos, Aloysio se transferiu para a Philips, onde inaugurou um núcleo de bossa nova que daria frutos adiante — a Philips seria, dali a alguns anos, dirigida por seu pupilo na Odeon, André Midani, a mais importante gravadora da música brasileira. Em 63, ainda não vira que era hora de criar sua própria gravadora, depois de testar seus artistas do coração em shows intimistas nas boates do Rio.

Em sociedade com Flavio Ramos, dono da principal dessas boates, a Au Bon Gourmet, Aloysio finalmente cria a Elenco, para a qual logo no início chamou Nara Leão, cantora que adorava por seu jeito despojado, bossa-nova, quase não profissional.

Além disso, de apenas versionista de canções americanas, Aloysio estava se transformando ele próprio num tremendo letrista, principalmente nas músicas que estava começando a fazer com Tom, clássicos modernos instantâneos como "Dindi", "Só tinha de ser com você", "Demais", "De você eu gosto", "Eu preciso de você", entre outras.

Era frente a esse monstro sagrado que uma abusada Nara Leão se impunha desde o início da concepção do álbum: canção a canção, ideia a ideia, os detalhes do seu disco. Foram meses de discussões — Aloysio nada tinha contra o repertório de Nara, adorava os sambas de Cartola e Zé Kéti, só não achava que eram apropriados para ela. Perdeu todas as discussões, mas conseguiu deixar sua marca no disco.

Tanto que no habitual texto de contracapa, que escreveu em quase todos os discos que produziria na Elenco, foi sincero, no seu espanto, e generoso em valorizar o resultado final, muito mais favorável a Nara do que a ele — embora a síntese seja dos dois.

"Por incrível que pareça, a moça Nara Leão tem sido, desde os primeiros passos da Bossa Nova, uma espécie de musa do movimento. O nome de Nara Leão tem sido ligado por muito tempo a todo acontecimento musical da nossa juventude. Com efeito, por incrível que pareça ainda não havia sido lançada em disco como intérprete da nova geração. E ainda por incrível que pareça o seu lançamento neste disco foge, em seu estilo, da bossa nova propriamente dita, para um repertório variado que inclui músicas que nada têm a ver com a bossa nova (compositores como Cartola, Nelson Cavaquinho e Zé Kéti)", divide Aloysio seu espanto com o público, através da expressão "por incrível que pareça", que parecia não ter fim. "Compositores da nova geração também estão presentes na sua escolha (Carlos Lyra, Edu Lobo, Baden, etc.), mas mesmo destes ela se inclina para tendências puramente regionais."

Ainda faltava um último "por incrível que pareça" no texto de Aloysio, que era a descrição de sua única vitória sobre a cabeça dura de Nara:

> E finalmente outro "por incrível que pareça". Nara procura fugir totalmente de sua personalidade de menina mansa, interpretando, embora de um modo moderno e com a sua voz pura e inconfundível, aquelas músicas que ela escolheu e que provocam um estranho e agradável contraste. Aqui vocês encontrarão o que há de bom em música, em estilo e interpretação. Aqui, vocês vão encontrar Nara Leão.

A capa de Cesar Villela e Chico Pereira, é claro, é das mais simples e importantes que os dois fizeram para a Elenco, literalmente a cara de Nara: uma foto em alto-contraste da cantora, olhando doce e firme para a câmera, com o cabelo chanel praticamente encobrindo a testa, quase os olhos. Cesar criou uma tipologia para escrever o nome da cantora, título do disco, os dois "as" de Nara formando setas para cima e para baixo, indicando caminhos, e as três bolinhas vermelhas indefectíveis como emoldurando o caminho geométrico feito do nome para a foto da cantora. A capa é uma obra-prima do moderno design brasileiro (como o disco em relação à música).

Nara admirava muito Aloysio, afinal seu diretor mais recorrente nas poucas vezes em que se apresentou profissionalmente até ali. Mas não foi com o propósito de agradar a Aloysio que Nara escolheu, para gravar, um outro tema de Baden, que ela conhecia desde as aulas com Moacir Santos e o compositor fizera como exercício, o qual denominou simplesmente "Tema nº 1", gravado no disco *Baden Powell swings with Jimmy Pratt*, o primeiro que ele gravou na Elenco em 63 mesmo.

Com letra do próprio Aloysio, "Tema nº 1" transformou-se em "Vou por aí" e é uma das músicas mais densas do disco. Curiosamente uma canção de amor, ou de despedida, mas que acaba fazendo sentido com as buscas existenciais de Nara e das outras canções.

> Vou por aí
> Esquecendo que você passou
> Me lembrando coisas que perdi
> Sem saber sequer aonde estou
> Por isso eu ando, paro
> Sem sabor sequer aonde vou
>
> Vou por aí
> Um caminho que não é o meu
> Encontrando o que não quero ter

Procurando o que não vou achar
Por isso canto, choro
Sem saber se ainda sei chorar

Na gravação, com arranjo grandioso de Gaya para orquestra, há a participação personalíssima do violão de Baden Powell. Quase como um documento da fase em que ela e o violonista estavam passando no exato momento da gravação do disco: estudando música, se aperfeiçoando. "Vou por aí" é, além disso, o momento em que a sensibilidade de ambos — da cantora e de seu produtor — se encontra plenamente. É a faixa, ou melhor, a faceta puramente "musical" de *Nara*. Que existia, por baixo, e às vezes mesmo até acima, de tantas ideias que ela quis botar em seu disco de estreia.

9. "Mulher que fala muito"

Mais ou menos 21 anos depois da estreia de *Pobre Menina Rica* — ou de seu *Trailer* — no Bon Gourmet, Carlos Lyra sobe ao palco do Teatro dos Quatro para apresentar o seu espetáculo *25 anos de Bossa Nova*. Espetáculo, aliás, bem a caráter, apenas ele e seu violão, mas que ganhara grande relevância naquele momento, 1984, em que o país esgotado por vinte anos de ditadura militar começava a se manifestar pela volta das eleições diretas para presidente, em comícios pelo país inteiro, o movimento Diretas Já. No palco, de forma didática e linear, entre suas canções belíssimas, Carlinhos contava a história da música popular brasileira e ela se confundia com a do país, provocando arrepios e lágrimas especialmente quando descrevia o pavor das balas ricocheteando nas paredes da UNE e depois da tristeza de ver o prédio em chamas. Exatamente o momento em que o pesadelo que todos viveriam no país começou.

Como sempre lotado, o teatro da Gávea parecia querer reencontrar o país perdido vinte anos antes ao ouvir, sem um pio, como que em transe, aquele sujeito sozinho ali no palco a cantar a história do Brasil, literalmente. O show era uma rara demonstração da relevância da música popular, tocava-se na história quando depois de falar da UNE ele cantava a "Marcha da Quarta-feira de Cinzas" e falava no disco de Nara Leão, a plateia em silêncio, sempre atenta.

O show fez tanto sucesso que, a partir da estreia na Gávea, ele passaria pelo menos dois anos percorrendo o país contando a história da Bossa Nova de sua perspectiva — ou seja, da esquerda do movimento. Numa das voltas do show ao Rio, a temporada se deu onde tudo nasceu, Copacabana, no Teatro Senac, o que aumentava ainda mais a cumplicidade do público, a emoção e o simbolismo da apresentação naquele momento de reconciliação do país com sua história.

Certa noite, o show transcorria normalmente, até que Carlinhos começava a descrever a "comédia musical" que começara a fazer com Vinicius de Moraes a partir de um punhado de melodias que depositara no gravador do poeta, para que ele as preenchesse com letras. Como sempre fazia, aliás, Carlinhos entregava melodias a Vinicius e elas voltavam com letras. E Carlinhos dizia para a plateia que daquela vez foi diferente. "Parceirinho, venha para cá", ligou Vinicius convocando o amigo para o apartamento no Parque Guinle. Ao chegar lá, a surpresa: "Parceirinho, acho que dessa vez você quis contar uma história, com essas melodias." Como Carlinhos não imaginou qualquer história, ouvia a que o poeta imaginou a partir das canções, de fato um tanto mais variadas do que os sambinhas bossa-nova habituais — havia valsa, marchinha, xaxado, canções, dois duetos, e, é claro, alguns sambas naquela leva.

> Ouve, então, parceirinho. Essa é a história de uma Pobre Menina Rica, uma moça que morava num prédio, que ficava ao lado de um terreno baldio, onde vivia um grupo de mendigos. Entre eles um Mendigo Poeta, que olhava todo dia pra moça rica, ali na janela, até que se apaixonou por ela.

Pelo menos foi assim que Vinicius primeiro contou sua ideia para o parceiro ainda um tanto aparvalhado. E continuou: "Aí, a menininha rica também vê o mendiguinho todo dia, olha pra ele e se apaixona também..."

Então, saindo do transe da história imaginada, Carlinhos retruca: "Não, Vinicius, aí não... Você vai me desculpar, mas aí já é demais, né... O mendigo se apaixonar pela menina, tudo bem. Mas a menina se apaixonar pelo mendigo?"

"Mas, parceirinho, é que era primavera! Era primavera!"

"Ah, bom, era primavera! Quem mandou discutir com um poeta... Era primavera! E aí o mendiguinho-poeta canta assim:

O meu amor sozinho
É assim como um jardim sem flor
Só queria poder ir dizer a ela
Como é triste se sentir saudade

Até que alguém da plateia suspende o transe, quebra o silêncio no Teatro Senac e interrompe a canção: "Ela está aqui."

"O quê?", para de cantar Carlinhos.

"Ela está aqui. A Pobre Menina Rica está aqui", repetiu a voz, da plateia escura.

As luzes se acendem e depois de alguma procura pela plateia lotada vê-se Nara Leão, rindo de nervoso, que assistia anonimamente ao show, revelada por alguém da plateia. Depois de muita insistência do artista e da plateia — como Odete Lara observara da timidez de Nara, ela só aceitava cantar depois que a insistência se tornava insuportável , Nara finalmente sobe no palco e canta com Carlinhos, como fizera pela primeira vez profissionalmente em 28 de março de 1963, "Primavera", talvez a canção de amor mais marcante da Pobre Menina Rica, a primeira parte cantada pelo Mendigo Poeta revelando seu amor em forma de canção, a segunda parte é a resposta da menina em forma de samba, aceitando aquele amor improvável. Porque, afinal, era primavera. E Nara cantou, em 1984, como fizera em 1963.

Não há amor sozinho
É juntinho que ele fica bom
Eu queria dar-lhe todo o meu carinho
Eu queria ter felicidade

É que o meu amor é tanto
É um encanto que não tem mais fim
E, no entanto, ela não sabe que isso existe
É tão triste se sentir saudade

Amor, eu lhe direi
Amor que eu tanto procurei
Ah! Quem me dera que eu pudesse ser
A tua primavera e depois morrer

O impressionante é que, mais de vinte anos depois, Nara ainda era associada à Pobre Menina Rica. Mesmo que por questões contratuais — primeiro estava na Elenco, depois na Philips —, ela não tivesse gravado o disco das canções da peça que Carlos Lyra fez na gravadora CBS, com Dulce Nunes no papel-título, no lugar de Nara. E Thelma cantando "Maria Moita", justamente a canção da peça que Nara pinçaria para o seu primeiro disco. Nem participaria das várias versões, normalmente naquele formato de *pocket show*, que a peça teria no decorrer dos vinte anos — no México, chegou a ser apresentada no fim dos anos 1960 com tradução para o espanhol de um certo Gabriel García Márquez, que dali a um ano lançaria seu romance mais conhecido, *Cem anos de solidão*, e ganharia o Prêmio Nobel de Literatura. Nara faria apenas uma pequena temporada, no fim de 63, no Teatro da Maison de France, com o ator Napoleão Muniz Freire no lugar de Vinicius, que já estava na Europa. E a impactante estreia no Bon Gourmet, ao lado dos dois autores, teve uma temporada de cinco semanas a partir da estreia em 28 de março.

Depois da ideia que Vinicius passou para um ainda embasbacado Carlos Lyra no Parque Guinle, ele amadureceu o projeto da comédia musical e levou o parceiro para uma pequena temporada na casa de sua mulher, em Petrópolis, onde os dois, com alguma calma, puderam terminar as 12 canções da peça.

De volta ao Rio, em agosto de 62 Vinicius faz sua temporada de shows com Tom Jobim e João Gilberto, sob direção de Aloysio de Oliveira. Diante da imensa repercussão do show, Aloysio tem a ideia de continuar a explorar a nova veia de *showman* de Vinicius.

"Aloysio é um homem terrível", escreveria Vinicius sobre os acontecimentos ainda recentes em novembro de 63 já na Europa.

> Em setembro [*sic*, n. do a.: foi em agosto] de 1962 estando eu posto em sossego — eu que jamais houvera cogitado em pisar como showman um palco de boate — chega Aloysio e nos joga a Antônio Carlos Jobim, a João Gilberto e a mim, com a participação especial de Os Cariocas, num show que realmente pegou a cidade de surpresa, e conseguiu reinventar o movimento da bossa nova, diante de sua repercussão nacional e internacional. Seis meses depois, sem medo de repetir um artista (no caso eu) num tão curto intervalo, Aloysio, sabedor do projeto da *Pobre*

Menina Rica, repete o feito: um trailer do primeiro ato da peça, num experimento inteiramente inédito no Brasil e creio que no mundo, em matéria de show.

Para o show, Vinicius escreveu uma espécie de resumo dos acontecimentos, descrições de personagens e alguns poucos diálogos. As canções, todas lindas e inéditas, fariam o resto.

É difícil dizer que Vinicius tenha se inspirado em Nara para compor a personagem da Pobre Menina Rica, assim descrita por ele no texto do show:

> Imaginem agora que num dos mais belos apartamentos da redondeza, ao lado de um terreno baldio, mora um lindo broto como um passarinho dentro de uma gaiola dourada. É a Pobre Menina Rica, um fruto dos tempos que correm, com pai antigo, mãe apavorada e irmão primeiro da classe. É triste dizer, mas ela acha a própria família profundamente chata. A *jeunesse dorée* que a frequenta e com quem ela vai a festinhas e ao banho de mar no Castelinho deixa-a perfeitamente isenta. Ela sonha um amor lindo nos braços de um homem verdadeiro que nunca vem. É essa Pobre Menina Rica que, de sua sacada, canta sua tristeza e solidão, ao ver voar um passarinho em liberdade.

Mas se não foi pelo menos levemente inspirada nela — afinal, como diz Vinicius, a personagem é "fruto dos tempos que correm" —, não houve outro nome que ele e Carlinhos Lyra tenham pensado para fazer o papel que o de Nara Leão. Aos 21 anos, vivendo num lindo apartamento de frente para mar, nitidamente insatisfeita com sua classe e com a *jeunesse dorée* que a frequenta, em busca de outras formas de cantar, ainda não lançada oficialmente como a cantora que nem ela sabia se seria, Nara era a pessoa ideal para fazer aquela personagem. Ou, como diria ainda 21 anos depois o sujeito da plateia do Teatro dos Quatro: "Ela está aqui."

Mesmo tímida e intimidada, ao ver a qualidade das canções e o teor, digamos, subversivo da história inventada por Vinicius — o rompimento da barreira de classes, se não apenas pelo amor, mas também pela arte —, Nara não teve como recusar o papel. E cumpriu fielmente as cinco semanas de temporada, de terça a sábado, só faltando uma vez, quando uma gripe que os três pegaram a derrubou de vez.

O espetáculo era simples, apenas os três no palco cantando todas as músicas e personagens, acompanhados dos violões de Nara e Carlinhos Lyra e de um pequeno conjunto, liderado por Eumir Deodato, sendo destacados a cada participação pelo jogo de luzes, enquanto Vinicius narrava a história. "As luzes da boate Au Bon Gourmet se apagavam, nós entrávamos pé ante pé, quase em trevas totais", descreveria Vinicius o início do espetáculo.

> Eu ia sentar-me à minha cátedra improvisada, onde, o texto em mão, esperava, como quem espera o tiro de uma 45, o foco de luz que incidia sobre mim. O conjunto atacava suavemente a "Marcha do amanhecer", eu pegava discretamente o copo de uísque que tinha à mão, tomava aquele gole e começava: "Imaginem um grande terreno baldio contra o panorama tentacular da cidade ao longe..."

Ao lado, Vinicius dizia, ele sentia "a torcida" de seus dois companheiros de show, Nara Leão e Carlos Lyra. "E durante cinco semanas a mocidade carioca e de outros estados que nunca deixara de nos prestigiar, desde as primeiras raízes do movimento da Bossa Nova, comparecia diariamente para nos ver."

Foi a tal "mocidade" carioca e brasileira a primeira a ter a oportunidade de ver Nara Leão cantando e tocando em público — ela que até então era uma figura restrita às apresentações amadoras da bossa nova e às menções em jornais como "musa" daquele movimento. O que se via ali, contudo, era uma outra coisa: uma cantora — e violonista que se acompanhava — interpretando com segurança um repertório excepcionalmente rico e musicalmente versátil em termos de estilo.

A primeira canção que Nara entoou em público, quando o foco de luz a atingiu "como um tiro de 45", foi a canção-tema de sua personagem, Pobre Menina Rica. De certa forma, não deixa de ser um retrato seu naquele momento de buscas existenciais impressionantes.

> Eu acho que quem me vê, crê
> Que eu sou feliz, feliz só porque
> Tenho tudo quanto existe
> Pra não ser infeliz
>
> Pobre menina tão rica
> Que triste você fica se vê
> Um passarinho em liberdade
> Indo e vindo à vontade, na tarde
>
> Você tem mais do que eu
> Passarinho, do que a menina
> Que é tão rica e nada tem de seu

Em seguida, cantava com Carlinhos Lyra — que fazia o papel do Mendigo Poeta — "Primavera", talvez a canção mais marcante de todo o espetáculo e que Nara só gravaria no seu primeiro disco de bossa nova, feito em 1970, durante seu exílio em Paris, e cantaria depois no Teatro dos Quatro na canja que acabou dando no show de *25 anos de Bossa Nova*.

Nara cantaria ainda algumas coisas muito lindas, como a "Canção do amor que chegou" e a música que encerra a peça, uma "Valsa em dueto". Mas o momento mais marcante de sua participação — e também sutilmente autobiográfico — era na única música que não pertencia à sua personagem, mas à de Maria Moita.

Na descrição que Vinicius fazia do encontro da Pobre Menina Rica com Maria Moita, todo o poder mediúnico da sua poesia parecia descrever o que Nara estava vivendo naquele momento, o encontro com Zé Kéti e Cartola e a descoberta de um outro mundo que ela desconhecia. Dizia Vinicius, o narrador, no show:

> Por sua vez, a Pobre Menina Rica veio a conhecer Maria Moita. Simpatizou muito com o seu jeitão. Uma bela mulata baiana, calada e positiva como o nome indica. Maria Moita também simpatizou muitíssimo com a Pobre Menina Rica, trocaram confidências, e verdade por verdade, conta-lhe sua história, que é sua filosofia, neste samba que se segue.

E Nara, agora no papel da mendiga que fazia a comida para a comunidade dos mendigos que vivia no terreno baldio, cantava o samba de Carlos Lyra e Vinicius "Maria Moita", que parecia conter tudo que ela estava buscando em termos musicais e do conteúdo político. E, com um detalhe a mais que ainda não era explícito nas buscas de Nara, mas uma temática feminina, se não feminista mesmo na descrição de uma mulher oprimida pelo machismo.

De nítido sabor afro, como as coisas que telepaticamente Baden também estava começando a fazer — afinal, Carlinhos Lyra também buscava uma linguagem diferente, mais popular, para os seus sambas, e a personagem baiana Maria Moita foi sugerida a Vinicius exclusivamente pela forma daquele samba de balanço diferente, de melodia insistente, repetitiva, que parecia de fato contar uma história de vida que só poderia se dar na Bahia.

Nasci lá na Bahia
De mucama com feitor
Meu pai dormia em cama
Minha mãe no pisador
Meu pai só dizia assim, venha cá
Minha mãe dizia sim, sem falar
Mulher que fala muito perde logo seu amor

Como que dizendo tudo que Nara buscava para dizer, sobre a mesma melodia, depois de contar a história de Maria Moita na primeira parte, Vinicius expõe a "filosofia" da personagem: a que combate o machismo, as desigualdades sociais e é adepta do candomblé, a religião afro-brasileira que também é uma forma de combate.

Deus fez primeiro o homem
A mulher nasceu depois
Por isso é que a mulher
Trabalha sempre pelos dois
Homem acaba de chegar, tá com fome
A mulher tem que olhar pelo homem
E é deitada, em pé, mulher tem é que trabalhar

O rico acorda tarde, já começa a resmungar
O pobre acorda cedo, já começa a trabalhar
Vou pedir ao meu Babalorixá
Pra fazer uma oração pra Xangô
Pra pôr pra trabalhar
Gente que nunca trabalhou

O impacto de ver Nara Leão cantando "Maria Moita" foi tão grande que, mesmo antes do lançamento do disco — evidentemente, foi essa a música do *Pobre Menina Rica* que ela pinçou para o seu repertório, e não as lindas canções de sua personagem (e persona) —, a música passou a ser considerada sua, e um marco na música brasileira.

Ela chegou a cantar a música algumas vezes, na TV e nos poucos shows que faria em 63, mas nada que justificasse, a não ser sua própria força, a fama que viria a ter mesmo antes do lançamento de sua gravação.

Em outubro, na concorridíssima festa de lançamento do primeiro suplemento de discos da Elenco, organizada por Aloysio de Oliveira na boate Meia-Noite, no Copacabana Palace, Nara faria uma participação justamente cantando esse seu primeiro e improvável sucesso.

"Seguiu-se Nara Leão com seu clássico 'Maria Moita'", qualificou, talvez com certo exagero, o jovem crítico, e engajado naquele movimento de renovação da música brasileira, Flávio Eduardo do Macedo Soares, para em seguida descrever à perfeição a performance de Nara e o impacto que ela causava mesmo em ambientes elegantes como aquele. "Enquanto o conjunto de Menescal lhe fazia um acompanhamento discreto no fundo, sua voz foi tomando corpo perto do final e terminou num verdadeiro clímax, arrancando aplausos fortíssimos da audiência."

Para depois, em seu artigo publicado em O Jornal, adivinhar o papel que Nara teria na música brasileira quando, de fato, fosse lançada em disco somente quatro meses depois: "O que Nara transmite é inteligência, simplicidade e tanta coisa nova, que acreditamos que, em si, ela é uma revolução. E linda de se ouvir."

A revolução, com "Maria Moita" como canção-manifesto reconhecida, fora urdida havia dois meses, em agosto de 63, durante as gravações no estúdio Rio-Som. Gaya preparou um arranjo simples e, à sua maneira e de Nara, épico. A introdução feita pelo som grave do fagote, tendo o violão moderno de Oscar Castro Neves como base harmônica, abre para um arranjo de sopros que vai acompanhar a canção toda, ora criando climas, ora fazendo a harmonia ou desenhos melódicos, além de piano, contrabaixo e bateria. Bem na ideia, algo mágica, proposta pelo disco, de trazer nova linguagem para a estética da bossa nova, aquele samba de nítido sabor afro, agora estilizado com todos os ganhos harmônicos e de escrita orquestral desenvolvidos pela música brasileira até a bossa nova.

Ou, como já havia adivinhado Flávio Eduardo de Macedo Soares no artigo sobre a interpretação de "Maria Moita" na festa da Elenco: "Nara, não há dúvida que é uma vocalista de bossa nova, e provou isso irrefutavelmente nessa apresentação."

A revolução da cantora de bossa nova se daria no espírito de "Maria Moita", não por acaso escolhido por Aloysio para, junto com "Diz que fui por aí", de Zé Kéti, ser a canção do primeiro compacto simples — aquele disquinho de duas faixas, lançado antes para esquentar o lançamento do LP. Uma baiana feminista e comunista criada por Carlos Lyra e Vinicius, lançada pela cantora convidada para fazer a Pobre Menina Rica, essa era exatamente a revolução do primeiro disco de Nara. Tanto quanto ela cantar o samba "de morro" de Zé Kéti, do outro lado do compacto.

10. "Nanã"

Baden Powell estava preparando seu primeiro disco na Elenco, no estúdio de sua antiga gravadora, a Philips, quando o técnico de gravação Célio Martins perguntou qual o nome daquelas duas músicas que ele havia acabado de gravar. A pergunta era por nada, apenas porque o diligente técnico precisava escrever algo na caixa das fitas originais, para poder depois identificá-las e não confundir com as demais músicas. Foi aí que Baden percebeu que aquelas duas composições de seu professor Moacir Santos — que conhecera e se identificara totalmente durante as aulas de harmonia que tinha com ele — não tinham título, ou pelo menos ele não sabia quais eram, para ele sempre foram exercícios de composição.

Ainda no estúdio, onde foi conduzir seu arranjo e tocar saxofone nas duas faixas, Moacir disse ao técnico:

"Ah, põe 'Coisas' aí..."

E assim foram batizadas as primeiras "Coisas", a número 1 e a número 2, que seu mais brilhante aluno teve a primazia de gravar, com arranjos do professor, no LP *Baden Powell swings with Jimmy Pratt*, o terceiro de sua carreira e o primeiro na nova gravadora de Aloysio de Oliveira.

A razão de gravar ainda na Philips, de onde Aloysio estava "roubando" Baden, foi a pressa. O baterista norte-americano

Jimmy Pratt veio ao Brasil acompanhando a cantora alemã Catherine Valente, uma verdadeira brasilianista musical, que cantava música brasileira em português, descobrira e se encantara por Baden. E veio a ideia de um trabalho conjunto, perfeito para o tipo de som que Aloysio pretendia ter em sua gravadora: brasileiro, moderno e internacional ao mesmo tempo.

Baden nem teve muito tempo para pensar o repertório, e pegou o que tinha à mão, coisas que estava fazendo com Vinicius ("Deve ser amor"), Nilo Queiroz ("Encontro com a saudade") ou com Geraldo Vandré (o samba "Rosa Flor"), *standards* da bossa nova ("Samba de uma nota só") e outros temas que fossem bons de tocar com um baterista de jazz. Os temas de Moacir, que Baden estava estudando naquele momento, e o influenciavam nas suas novas composições de sotaque afro, pareceram perfeitos, em seu vanguardismo, para entrar num disco assim tão livre e sem outros compromissos que não a música.

Um gênio musical autodidata, Moacir Santos começou a tocar ainda criança em flautas de taboca, pequenos pedaços de bambu, que ele mesmo catava e construía em Flores do Pajeú, cidadezinha em que foi criado no sertão de Pernambuco. Desde cedo envolvido com a banda local, acabou aprendendo a tocar praticamente todos os instrumentos de sopro. Fugiu de casa aos 14 e percorreu o Nordeste por alguns anos, sempre tocando nas bandas da cidade por que passava, até chegar a Salvador, onde, tocando numa orquestra mais qualificada, fez a música parar por duas vezes, pela sua inexperiência e pelo pouco conhecimento de leitura e teoria musical. Saiu chorando, mas chegou à conclusão de que um dia precisaria estudar música formalmente.

Anos depois, quando chegou ao Rio, em 1948, com uma carta de recomendação para ser ouvido pelos maestros da Rádio Nacional com vistas a um possível emprego, foi submetido a um teste. O maestro Chiquinho, que lhe aplicou o teste, descreveria:

"Foi um teste para nós. Botamos a música para o rapaz tocar com a orquestra, e ele tocou tudo. Ele botou uma música sua para que tocássemos, e não tocamos nada."

Estava sendo criada a fama de gênio daquele maestro negro e sertanejo, delicado e reflexivo e, a partir daquele momento, estudioso. Aproveitando a estabilidade no emprego como saxofonista na prestigiada Rádio Nacional, ele estabeleceu uma meta que iria estudar por cinco anos e se tornar um músico completo, um maestro. Estudou com todo mundo que pôde: os compositores Claudio Santoro e Guerra-Peixe, o maestro austríaco Hans-Joachim Koellreutter, e Ernst Kreneck — com ambos chegaria aos limites do dodecafonismo. E não em cinco, mas em dois anos seria promovido por aclamação ao cargo de maestro da Rádio Nacional.

Quando começou a dar aulas para Baden Powell e Nara Leão, entre outros nomes da nascente Bossa Nova, e a compor com Vinicius de Moraes, Moacir Santos já acumulava 15 anos de experiências musicais variadas — desde o primeiro trabalho que fez na Rádio Nacional como maestro, um arranjo para orquestra de "Na Baixa do Sapateiro", de Ary Barroso, e um concerto para trompa e orquestra de sua autoria — em arranjos, composição, música para cinema. Mas era totalmente desconhecido do público.

Estava encantado com seus alunos pois, apesar de bem-nascidos, eram talentos brutos, de certa forma como ele, autodidatas. Ele convenceu um Roberto Menescal já conhecido, e com alguns êxitos como compositor e arranjador, a estudar, com o seguinte argumento: "Se você, sem saber, já é bom assim, imagina se souber."

Adorava dar aulas em especial para Baden e Nara devido justamente ao interesse deles na pesquisa da música afro-brasileira, cada qual a seu modo: Baden cada vez mais tomado por aquilo desde que conhecera a música baiana de candomblé e capoeira; Nara por sua busca, a partir da bossa nova, pelo samba mais puro e autêntico.

O interesse de Baden pelos temas que seriam batizados "Coisa nº1" e "Coisa nº2" não era à toa. Estudando esses também "estudos" de Moacir pelo universo da música afro-brasileira, Baden criaria seus temas próprios, como "Berimbau". O encanto de Nara por "Berimbau", e pelas coisas afro que Baden estava fazendo também não.

Foi por isso que, precisando de uma voz feminina para certos momentos da trilha sonora que estava compondo para o filme *Ganga Zumba*, de Cacá Diegues, Moacir resolveu convidar sua aluna Nara Leão, ainda inédita em disco, para cantar. Andando com o pessoal do cinema e já amiga de Cacá Diegues — com quem se casaria quatro anos depois, uma amizade transformando-se lentamente em amor —, o que, no entanto, nada teve a ver com o convite de Moacir.

"Foi uma ideia totalmente do Moacir, eu não tive nada com isso, a não ser concordar quando ele me falou" — recorda-se Cacá Diegues. "Ocupado com outras coisas do filme, eu nem fui ao estúdio assistir às gravações, tudo estava mesmo na mão do Moacir."

Ganga Zumba, o filme, tem uma trilha longa e complexa, na qual Moacir Santos usou basicamente três temas, as futuras "Coisa nº4" e "Coisa nº8" e o tema principal, que seria desdobrado em diversas partes e climas, a "Coisa nº5", a que teria o vocal de Nara.

O tema de "Coisa nº 5" é originalmente uma marcha. Na verdade, uma "música de procissão, uma procissão só de negros", como Moacir certa vez sonhou, sonho com trilha sonora que ele só teve o trabalho de acordar e escrever a música que havia sonhado, inteirinha.

Na trilha, e posteriormente na gravação instrumental definitiva no histórico LP *Coisas*, de 1965, Moacir exploraria o tema em compassos estranhos e irregulares, como um 12/8, o que aumenta a sensação de música negra, mais negra do que a de uma tradicional procissão católica. Mas na parte que Nara gravou para a abertura do filme, o tema é apresentado em compasso 4/4, tradicional de marcha.

Encantada com o tema que acabara de gravar na trilha do filme, bem como por toda a obra de Moacir Santos, Nara fez questão de levá-lo para o seu primeiro disco. E assim, com arranjo original do maestro Moacir Santos, o trecho da trilha sonora de *Ganga Zumba* que serve de abertura para o filme transformou-se na faixa de encerramento de *Nara*.

Para o disco, Moacir batizou a "Coisa nº 5" de "Nanã", pois a procissão que sonhara era em louvor ao orixá Nanã Buruquê, cultuada no Brasil como o orixá tanto da morte como da reencarnação. E que se encaixava perfeitamente com a história do filme *Ganga Zumba*: a trajetória de Antão, um jovem escravizado num engenho de açúcar no Pernambuco do século XVII, que, filho de uma rainha africana, tem como destino se tornar Ganga Zumba, ou seja, o rei, no momento em que Zambi, líder do Quilombo dos Palmares, tem o filho e herdeiro morto numa guerra com os brancos.

Embora na gravação de Nara, o único arranjo de Moacir Santos para o disco de resto todo orquestrado por Lindolfo Gaya, não haja alterações de compasso nem compassos irregulares — características das "Coisas" —, Moacir criou um ambiente afro totalmente alinhado com a proposta do disco. Como faria em vários arranjos seus, o tema instrumental é apresentado por saxofones tenores dobrados e tambores também são usados no candomblé fazendo o ritmo. Quando entra o vocal de Nara apresentando o tema, aos atabaques é acrescentado um agogô e o arranjo de sopros vai ficando mais gordo, normalmente dobrando a melodia com a voz.

É significativo que Nara encerre o seu primeiro disco com um tema feito para o cinema, e para um filme do Cinema Novo, também de um diretor estreante em longa-metragens, Cacá Diegues, como ela era estreante em disco. *Ganga Zumba*, o filme, é tão irmão de *Nara*, o disco, que, além de Moacir Santos, há outra figura fundamental presente nos dois: Cartola.

"Desde o tempo do CPC, eu fiquei amigo do Cartola, eu frequentava a casa dele na rua dos Andradas", diz Cacá, que de tão amigo do compositor, numa noite regada a cerveja num intervalo das filmagens virou seu parceiro musical, fazendo a letra de "Canção da saudade", que anos depois seria até gravada pelo cantor Luiz Claudio.

Na verdade, antes de Cartola, quem foi convidada para participar da equipe foi Dona Zica, encarregada da alimentação da equipe. Como eles estavam por lá, nas filmagens em Campos dos Goytacazes, acabaram ganhando papéis no filme. Dona Zica faz uma ponta como uma mucama da fazenda. E Cartola ganhou até um personagem de destaque, uma espécie de capitão do mato que trai o dono e foge, é recapturado e acaba sendo torturado até a morte. Mais ainda que o conjunto de compositores do disco de Nara, no filme de Cacá quase todo o elenco é negro.

De forma assim, simples musicalmente, mas lançando um tema e praticamente um compositor que seriam marcantes na história da música brasileira, Nara encerra luxuosamente seu primeiro disco, rebelde e conceitual — rebelde por investir, sem condescendência, num repertório novo e até de vanguarda; conceitual por estabelecer quais seriam os assuntos fundamentais da música brasileira dali para a frente: uma estética musical inspirada cada vez mais na cultura popular, nos ritmos e gêneros populares, e as letras cada vez mais engajadas, se não apenas na política, nos problemas, nos assuntos e nos sentimentos do Brasil real, não mais somente aquele da sua formação, de canções de amor e dor diante do mar.

Estava, se não fundada, pelo menos anunciada e em bases sólidas, uma certa Música Popular Brasileira. Que eram não mais palavras soltas e meramente descritivas de algo vago e abrangente — qualquer tipo de música produzida no Brasil —, mas uma linguagem musical para dar conta dos novos tempos, difíceis, porém cheio de desafios, que se anunciavam no Brasil pouco mais de um mês depois do lançamento de *Nara*, com o golpe militar de 1º de abril de 64.

"Acabou nosso carnaval", se já adivinhava o primeiro verso do disco, "Nanã", orixá da ressurreição, o encerrava.

Epílogo
"Daqui do morro eu não saio, não"

"*C'est un protest. Un protest contre le gouvernement.*"

Assim mesmo, em francês de moça bem-educada, Nara Leão responde, de forma clara e sucinta, ao documentarista francês Pierre Kast que havia lhe perguntado sobre qual o sentido do espetáculo *Opinião*: "É um protesto. Um protesto contra o governo." E canta, aos brados, mãos dadas com o autor da música, João do Vale, "Sina de caboclo", um explícito libelo pela Reforma Agrária:

> Eu sou um pobre caboclo
> Ganho a vida na enxada
> O que eu colho é dividido
> Com quem não plantou nada

Em francês de diplomata, no mesmo documentário, Vinicius de Moraes diz que o surgimento de uma geração de cantores e compositores brasileiros dispostos a protestar por meio da música — como naquele momento acontecia nos Estados Unidos com Bob Dylan e Joan Baez, na França com Georges Moustaki e em várias outras partes do mundo como numa conjunção cósmica — se deve ao acirramento da situação política, "mais grave ainda num país subdesenvolvido". E, ao lado de Baden Powell ao violão e uma moçada espalhada pela sala, sentada no chão, canta um dos afrossambas que estavam compondo naquele momento, o "Canto de Ossanha".

Ao lado de Edu Lobo, Ruy Guerra pede primeiro que o parceiro toque uma bossa nova, e ele o faz com a novíssima "Pra dizer adeus", que acabara de compor com o poeta Torquato Neto. E depois que tocasse "Canção da terra". Em francês de quem estudou cinema em Paris, Ruy Guerra explica como esta segunda canção, que fez com Edu Lobo, "é muito mais violenta, mais ligada à terra, à tradição folclórica brasileira e às raízes negras profundamente marcadas pela violência da escravidão".

Não é por acaso que quando Pierre Kast desembarca no Brasil em 1965 para tentar entender que novidade era aquela que estava acontecendo com a bossa nova brasileira, ele tenha esbarrado justamente com Nara no palco do espetáculo *Opinião*. E com Vinicius e Baden, Edu e Ruy, duas duplas tão presentes e influentes no primeiro disco de Nara. O documentário *Carnets du Brésil*, no entanto, não seria o primeiro a testemunhar as tão imediatas e importantes consequências da teimosia de Nara em fazer seu primeiro disco exatamente da maneira que ela intuía e queria.

Na verdade, *Nara*, o disco, como sua cantora e quem participou dele, e é claro que o país, foram atropelados pelos acontecimentos do 1º de abril de 1964.

Por exemplo, num episódio que emocionou a todos que o testemunharam, como o jovem deputado socialista Paulo Alberto Monteiro de Barros (então ligado à UNE e ao CPC e futuro escritor e jornalista mais conhecido pelo pseudônimo de Artur da Távola), logo nos dias seguintes ao golpe, Zé Kéti chegou a fazer uma visita noturna à embaixada da Bolívia, onde vários políticos cassados e militantes de esquerda aguardavam a concessão de asilo político, e cantou para eles, como num ritual de despedida. Carlos Lyra, por sua vez, traumatizado com a derrota política, mas mais ainda com os tiros no prédio da UNE e seu posterior incêndio, começava a planejar sair do Brasil, aproveitar os contatos que fizera nos Estados Unidos depois do show no Carnegie Hall, em 62, cujos primeiros frutos se dariam naquele ano de 64 mesmo, quando gravaria ainda no Rio um disco com o saxofonista norte-americano Paul Winter, *The sound of Ipanema*, antes de partir para um longo exílio voluntário.

Nara também se retraiu nos primeiros dias após o golpe. Ficou profundamente chocada com a simples extinção, pelos militares do novo governo, do Comando dos Trabalhadores Intelectuais (CTI), movimento no qual havia acabado de se engajar. Acompanhava, com apreensão, os amigos que precisaram se esconder ou mesmo sair do Brasil. Autor e ator do Teatro de Arena, Gianfrancesco Guarnieri, que fez a letra de "Feio não é bonito", ao voltar para casa no dia do golpe viu militares rondando seu endereço e fugiu na hora, tendo que ficar na Bolívia por uns três meses, até a poeira baixar.

Mas Nara, ao contrário do que se poderia supor, não se intimidou. Ela, que começara o processo do disco em 63 não se vendo propriamente como cantora profissional, achando que ia gravar um LP e depois arrumar outra coisa para fazer na vida — ela, que já tentara o jornalismo, trabalhando alguns meses no jornal *Última Hora* de seu cunhado Samuel Wainer, e que chegou a participar de exposições de arte como pintora —, depois do 1º de abril se engajaria completamente na carreira musical.

Em 23 de abril embarcou para São Paulo acompanhada de alguns colegas da Elenco, como Sylvia Telles, o Quarteto em Cy e Tom Jobim e participou do show *O remédio é bossa*, organizado na Escola Paulista de Medicina pelo radialista Valter Silva, o Pica-Pau, com a participação sobretudo de artistas paulistas, numa tentativa de retomar a vida normal após o susto político no início do mês, daí o sugestivo título do show.

Seria mais uma apresentação normal em um show coletivo se, além de cantar "Diz que fui por aí", do disco, Nara não tivesse resolvido estrear uma música nova de Zé Kéti, que só não havia entrado no disco porque foi composta depois, e que se chamava "Opinião". O público de estudantes ovacionou Nara, como se numa espécie de catarse, quando ela entoou os primeiros versos do samba:

Podem me prender
Podem me bater
Podem até deixar-me sem comer
Que eu não mudo de opinião
Daqui do morro eu não saio, não

Havia algo de muito sério ali, Nara logo percebeu. E "Opinião" passou a andar com ela por onde fosse. O espírito da época e da canção fez inclusive com que a tida como tímida Nara liderasse o movimento dos artistas presentes ao show contra o Hotel Danúbio, onde estavam hospedados, que se recusava a aceitar músicos como o pianista Salvador Filho (o futuro Dom Salvador) e o baterista Dom Um Romão, por eles serem negros. No primeiro movimento político pós-golpe militar, e botando em prática o espírito de luta defendido por seu disco de estreia, os artistas liderados por Nara conseguiram denunciar o racismo praticado pela direção do hotel, que teve de voltar atrás e foi processado com base na Lei Afonso Arinos.

Entre diversas idas e vindas entre o Rio e São Paulo para compromissos do lançamento do disco, durante uma temporada de shows que fazia na boate Djalma, em São Paulo, Nara receberia a visita do então relações-públicas da Philips, João Araújo, com um convite para que ela se transferisse da Elenco para a gravadora multinacional. Embora ainda estivesse estremecida com Aloysio de Oliveira por causa dos embates em torno do repertório do disco — "Eu não gravo mais aqui, vocês me chateiam muito", chegou a dizer lá pelas tantas durante a gravação —, Nara tinha um carinho e uma obrigação ética com seu primeiro produtor.

Ela sabia também das limitações da Elenco, estava sentindo isso na pele. A própria temporada de shows em São Paulo, apesar do imenso sucesso de crítica — o ator Jô Soares, que tinha uma coluna no jornal *Última Hora* de São Paulo, deu duas matérias sobre ela, uma intitulada "Nara, a genial" —, não ia lá muito bem de público, atribuída pela própria incapacidade da Elenco em alcançar mesmo o mercado mais importante do país.

Gênio da produção do estúdio e dos palcos para dentro, em seu início de trabalho como empresário Aloysio de fato negligenciara os difíceis setores de distribuição e comercialização. As tiragens dos discos da Elenco, normalmente de 2 mil cópias por prensagem, poderiam chegar a 10 mil, caso do lançamento tão comentado como o de Nara. Alguns discos, no entanto, acabavam esgotando em Copacabana mesmo, não tinham fôlego para chegar nem a São Paulo.

Nara vendia bem. Logo na primeira semana de lançamento estava em nono lugar na lista de mais vendidos publicada pelo jornal *O Globo*. Em abril, já estava em quarto lugar — atrás, entre os brasileiros, apenas de Roberto Carlos e seu sucesso *É proibido fumar*. Mas, embora almejassem (e que de fato conseguiriam) a eternidade, o potencial comercial dos discos da Elenco obedeciam a limites, talvez, intransponíveis.

Não era essa, contudo, a preocupação de Nara em relação ao convite para gravar na Philips. Ela queria saber, antes de tudo, se Aloysio concordava. E ele, que nem assinava contrato com os artistas, disse a João Araújo que não se oporia se a cantora assim o desejasse. E depois, traumatizada com as discussões que tivera com Aloysio mesmo na pequena Elenco, se teria liberdade artística assegurada na grande gravadora. Foi prometido que sim.

Assim, em julho de 64, e entre o estúdio do Rio e o de São Paulo da Philips, Nara começou a gravar seu segundo disco, evidentemente tendo como primeira música, já escolhida por ela, "Opinião", de Zé Kéti, que ainda emplacaria outro samba, bem "de morro", "Acender as velas". Na verdade, o disco que estava gravando na Philips apenas oito meses depois de gravar o primeiro e três meses após o seu lançamento, era praticamente uma sequência lógica daquele, quase um volume 2 a partir das mesmas ideias.

Como o primeiro, tinha samba "de morro", "Opinião" e "Acender as velas"; tinha um samba afro de Baden Powell e Vinicius ("Labareda"), além de um outro samba da dupla ("Deixa"); músicas de compositores da nova geração, mas comprometidas com um discurso e uma estética mais política e "regional", como "Esse mundo é meu", de Sérgio Ricardo e Ruy Guerra, e "Chegança", de Edu Lobo e Vianinha, a música que sobrou da tal peça que estava sendo ensaiada quando o prédio da UNE foi incendiado na manhã de 1º de abril. Como no primeiro disco, havia uma canção densa, de despedida, de Edu Lobo e Ruy Guerra, "Em tempo de adeus", e uma de Tom Jobim e Vinicius no mesmo espírito, "Derradeira primavera", ou seja, muito distante da bossa nova clássica da qual todos faziam — ou fizeram— parte. E, como no primeiro disco lançava música nova de compositores populares ainda não muito valorizados como Cartola e Nelson Cavaquinho, dessa vez apresentava uma música de João do Vale, justamente "Sina de caboclo", seguindo à risca os preceitos do CPC de buscar a música "camponesa" brasileira.

Haveria duas pequenas, mas importantes, novidades no segundo disco, em relação ao primeiro. A primeira tem a ver com o único embate perdido com Aloysio — e que ela anunciava em entrevistas que teria no primeiro disco —, temas de fato folclóricos, reunidos na faixa "Na roda da capoeira", uma coleção de refrãos da capoeira baiana. E a outra, resultado do seu convívio com o cineasta Cacá Diegues, que lhe aplicou doses de música brasileira dos anos 1930 e 1940, que até então ela praticamente desconhecia, e resultou na gravação da marcha-rancho "Malmequer", um velho sucesso de Orlando Silva. Ou seja, o segundo disco era praticamente a repetição formal do primeiro, só que com capoeira e marcha-rancho tradicionais e não recriadas por jovens compositores.

Outra novidade, sugerida a Nara pelo cineasta Glauber Rocha, que frequentava o estúdio durante as gravações, foi abrir a gravação de "Opinião", logo do disco, com um solo de bateria de Edison Machado, baterista tão bom como ousado, criador da levada de samba nos pratos da bateria e o único músico brasileiro que Tom Jobim exigiu quando foi gravar seu primeiro disco em Nova York. E, embora tivessem prometido liberdade total a Nara em seu disco, os produtores da Philips começaram a achar aquilo tudo estranho demais, a presença de Glauber — cineasta ainda não muito conhecido, que estava acabando de lançar *Deus e o diabo na terra do sol* — e solos de bateria. "Também tive problemas horrorosos, briguei, saí no meio do disco", relembraria Nara anos depois. "Era uma bagunça no estúdio, o pessoal da Philips não entendia nada."

Acabou que Nara mais uma vez ganhou o embate, e o disco se chamaria, apropriadamente, *Opinião de Nara*, pois era exatamente do que se tratava — a única batalha perdida foi a tentativa de que o nome de Edison Machado, pela importância que ele tinha no disco como baterista, aparecesse na capa. Dois anos depois, aliás, quando filmou *Terra em transe*, seu filme seguinte, Glauber Rocha também convocaria o mesmo Edison Machado para fazer solos de bateria em seu filme, como uma trilha sonora gravada ao vivo — em mais uma coincidência de propósitos entre a música de Nara e o Cinema Novo.

Com o segundo disco praticamente pronto, e já cantora profissional praticamente assumida, Nara aceita, não sem hesitação, um convite da empresa de tecidos e moda Rhodia para shows de lançamento de sua nova coleção em várias cidades do Brasil, da Europa e do Japão, ao lado do conjunto do pianista Sérgio Mendes, cantando basicamente bossa nova clássica. Durante a excursão, entre outros conflitos com Sérgio Mendes, o pianista abandonava o palco todas as vezes que a cantora insistia em cantar seu repertório, coisas como "Opinião", sua música do coração naquele momento, que ela fazia acompanhando-se ao violão.

Foi na parte brasileira dessa excursão que, em Salvador, alertada pelo mesmo Carlos Coqueijo que dera o disco de música baiana para Baden e Vinicius, Nara soube da existência de um grupo de jovens artistas baianos que estavam fazendo um show no Teatro Vila Velha que lhe cairia muito bem, *Nova bossa velha, velha bossa nova*. Ela foi e acabou conhecendo, e se encantando por Caetano Veloso, Gilberto Gil, Gal Costa, Tom

Zé e, muito especialmente, por uma menina ainda de 17 anos, Maria Bethânia. Os artistas baianos, loucos por bossa nova e pelos caminhos que Nara estava começando a trilhar — Tom Zé fora membro do CPC baiano, que era frequentado por Gil e Caetano —, tinham-na como um ídolo precoce.

Quando chegou da excursão, Nara recebeu ao mesmo tempo dois convites: a continuidade da excursão da Rhodia para os Estados Unidos e outro, de seu amigo Vianinha e de Ferreira Gullar, que haviam ouvido o disco *Opinião de Nara* antes mesmo do lançamento, para que ela fizesse com eles um espetáculo musical, que inauguraria um pequeno Teatro de Arena em Copacabana, arrendado pelo grupo de artistas do extinto CPC.

Ignorada, como ela própria contaria no tempo do CPC aberto, meses antes, depois do lançamento de seu primeiro e revolucionário disco Nara foi devidamente percebida pelo grupo. O CPC, aliás, e muita gente da esquerda estudantil, praticamente havia migrado para o Zicartola, que virou ponto de encontro da moçada interessada em cultura brasileira. Vianinha, mesmo, não saía de lá, como Nara. "A gente ia para lá bater papo", recordaria-se Nara, com a simplicidade habitual com que tratava as coisas, mesmo as grandiosas.

A proposta de Vianinha e Ferreira Gullar, arredondada nos papos às mesas do Zicartola, era de um espetáculo praticamente inspirado nas ideias e na figura de Nara, a se chamar *Opinião*. Nele, uma menina burguesa da Zona Sul, um sambista de morro a ser encarnado por Zé Kéti e um retirante nordestino, João do Vale, se encontrariam para cantar e discutir a realidade brasileira.

Nara, evidentemente, escolheu fazer o *Opinião*. Para aumentar ainda mais a raiva de Sérgio Mendes. Coisa que se estenderia a outros bossa-novistas quando, ainda antes do lançamento de *Opinião de Nara* e do próprio *Opinião*, ela deu uma entrevista bombástica, aí, sim, praticamente rompendo com a Bossa Nova, para o jornalista Juvenal Portella, e publicada com estardalhaço na revista *Fatos e Fotos*.

"Se estou me desligando da bossa nova? Há algum tempo fiz isso, mas ninguém quis acreditar. Espero que agora compreendam que nada mais tenho a ver com ela. A bossa nova me dá sono, não me empolga", disse Nara para choque geral, e ainda citou pessoalmente seu já desafeto Sérgio Mendes, dizendo que não ia cantar o que os outros mandassem, "muito menos 'Garota de Ipanema' e, o que é pior, em inglês".

Seus amigos da Bossa Nova, todos menos, é claro, Carlos Lyra e Vinicius, reagiram. Até Tom Jobim comentou, na sua ironia habitual: "Autênticos são o jequitibá e a avenca. Mas não é autêntico o jequitibá ser avenca e vice-versa." Aloysio de Oliveira também reagiu mal e usou de sua experiência com ela: "Ninguém quer mudar Nara. Ela é que deseja passar pelo que não é."

Do outro lado, Nara foi recebida de braços abertos. Mesmo com a restrição de certos críticos mais radicais, como os proverbiais José Ramos Tinhorão ("uma pequeno-burguesa com a ingênua pretensão de ser revolucionária") e Sérgio Bittencourt ("Não posso aceitar, por mais boa-praça que ela seja, uma srta. Nara Leão, egressa da mais impura e espessa camada bossa-novista, que resolve surgir cantando, desonestamente, sambas de uma honestidade a toda prova"), que fazia praticamente uma campanha contra ela, Nara foi consagrada pela maior parte dos críticos de ambos os lados. O que mais a deixou satisfeita em relação ao primeiro disco foi o comentário do mais querido e importante entre os chamados tradicionalistas, Lucio Rangel: "Nara Leão é uma artista que canta composições de Zé Kéti, Cartola e Nelson Cavaquinho. Por definição, quem canta esse tipo de música é sambista e não há como fugir dessa constatação."

Pois os próprios Cartola, Zé Kéti e Nelson Cavaquinho, e mais Ismael Silva e João do Vale, estavam no palco do Zicartola com Nara Leão não apenas para não deixar mais dúvidas, como também para homenageá-la na quarta-feira de novembro de 64 em que ela receberia a Ordem da Cartola Dourada, comenda inventada por Hermínio Bello de Carvalho para reconhecer figuras importantes do samba — e atraí-las para o Zicartola. Quando Tom Jobim ganhou a comenda, dois meses antes, Cartola e Zé Kéti receberam com orgulho toda a turma da Elenco — além de Tom, foram lá Dorival Caymmi, Odete Lara, Billy Blanco, Nara, entre outros.

Quando homenageou Nara, em novembro de 64, o Zicartola também estava no auge. Mas a casa de samba que foi lançada praticamente na mesma semana de seu primeiro disco, assim como ela como Aloysio à frente da Elenco, era boa de música, do palco para fora, mas péssima de administração. E, apesar de todo o sucesso e da influência que teria também na história da música brasileira, a casa de Cartola não resistiria mais de um ano, e seria vendida para outros gestores no fim de 65, até encerrar suas atividades musicais, em 66. A má gestão já se anunciava naquela anedota contada por Paulinho da Viola: Cartola era bom de pagar cachê e surpreendeu ao recompensá-lo, quando achava que estava apenas tocando a noite inteira por prazer, acompanhando cantores e honrado em estar no bar do Cartola.

Outra teoria é que a estreia do *Opinião*, em 11 de dezembro de 64, com Nara, Zé Kéti e João do Vale juntos no palco do recém-

-inaugurado Teatro de Arena, no também novo shopping center da rua Siqueira Campos, em Copacabana, teria deslocado grande parte dos frequentadores que faziam o sucesso do Zicartola — notadamente os ruidosos estudantes de esquerda — de volta para a Zona Sul.

O fato é que o *Opinião* parecia, não fossem seus criadores todos egressos de lá, a reencarnação do CPC em plena ditadura militar recém-instalada. E seria a primeira manifestação relevante e organizada contra ela. "Um protesto contra o governo", como definiria Nara, em francês, no documentário de Pierre Kast.

E Nara, no palco, era como a reencarnação da *Pobre Menina Rica*, peça que estreara no ano anterior com Vinicius. Era como ela mesma, a menina da Zona Sul que saía da sua bolha e descobria o Brasil que Zé Kéti e João do Vale iam lhe apresentando — um pouco como na peça de Vinicius a comunidade de mendigos ia fazendo. Só que de forma bem mais contundente. O texto, de Vianinha, Armando Costa e Paulo Pontes, utilizava-se desde notícias e estatísticas até histórias de vida dos artistas envolvidos. A direção de Augusto Boal, também escorada na personalidade dos três artistas em cena, transformavam a sinceridade e a empatia em discurso político coerente, num tom brechtiano mas com sotaque irresistivelmente carioca. E o jovem Dori Caymmi, não por acaso assíduo frequentador da segunda fase das reuniões na casa de Nara ao lado de seu amigo Edu Lobo, encarregou-se dos arranjos e da direção musical, ajudou Nara a cantar para fora, numa parceria com a cantora que se estenderia por alguns anos e discos seguintes.

Os pontos altos do espetáculo eram, é claro, "Opinião", de Zé Kéti, e "Carcará", de João do Vale, a canção sobre o bravo pássaro do sertão ilustrada sobre estatísticas do êxodo rural e da migração de nordestinos para os grandes centros. Nara explicava, didaticamente, o que era uma canção de protesto, conceito que usava abertamente desde o primeiro disco, mas que ainda não era conhecido no Brasil.

Nara ficaria apenas dois meses em cartaz com a peça escrita para e sobre ela. E, mesmo assim, revolucionaria o teatro musical brasileiro, criando uma tradição de peças que se utilizariam da música e da realidade para pensar o Brasil — em 66, a própria Nara voltaria numa nova peça daquele mesmo grupo naquele estilo, que passaria a se chamar Opinião, *Liberdade, liberdade*. Em São Paulo, no ano seguinte, Guarnieri, com música de Edu Lobo, faria esse tipo de espetáculo enveredar pela história em *Arena conta Zumbi*.

Inexperiente como artista de palco, Nara não aguentou a verdadeira "prova de atletismo" (como ela chamava) que era o espetáculo, e também perdeu a voz. Substituída provisoriamente por Susana de Moraes, atriz e filha de Vinicius, ela precisava de uma substituta definitiva. Lembrou-se daquele grupo de artistas baianos que conhecera no Teatro Vila Velha e achou que a jovem Maria Bethânia, com sua beleza incomum, nordestina, brasileira, inteligência rápida e voz forte, seria interessante para o papel. Antes do Carnaval de 65, Bethânia estava no Rio para assumir o papel em *Opinião*, e veio acompanhada do seu irmão Caetano Veloso, ele próprio iniciando a vida como compositor. A interpretação de Bethânia do "Carcará", de João do Vale, seria uma revolução em si — do tamanho que fora Nara cantando o samba "Opinião".

O ciclo iniciado por *Nara* — e seu desejo de buscar o samba "de morro" e outras coisas do Brasil real que a cantora até então desconhecia — estava completo com a realização e o sucesso do *Opinião*.

Curiosamente, o sucesso do espetáculo *Opinião* acabou marcando tanto o pequeno Teatro de Arena do shopping de Copacabana que ele logo se tornou um espaço partilhado entre o teatro, principalmente político, e shows de música popular, principalmente o samba. No início dos anos 1970 e por mais de dez anos, ele se tornaria ponto das famosas Noitadas de Samba, todas as segundas-feiras, como se o Zicartola reencarnasse semanalmente, recebendo velhos e jovens sambistas e um público ávido.

Todos os participantes do Zicartola tiveram, depois daquela experiência, vida transformada, desde os jovens como Elton Medeiros e Paulinho da Viola, até e sobretudo os "velhos", a começar por Zé Kéti, que gravaria seu primeiro disco já em 1965, Nelson Cavaquinho e Cartola — que só gravaria o seu em 1974 —, e que se tornariam artistas cultuados e respeitados em sua real dimensão. Grupos nascidos ali, como A Voz do Morro, fundado por Zé Kéti com, além de Paulinho e Elton, outros até então desconhecidos compositores de escolas de samba como Nelson Sargento, Anescarzinho do Salgueiro, Jair do Cavaquinho, Zé Cruz e Oscar Bigode começaram a finalmente gravar os sambas de terreiro ou de quadra.

Nara Leão, de diferentes formas, se manteria a vida inteira fiel a esse espírito rebelde e livre que marcou o início de sua carreira, mas com uma doçura que fazia com que mesmo seus possíveis desafetos a perdoassem talvez em nome do fascínio por tal liberdade. Tanto que, logo depois do *Opinião* e de ter espinafrado violentamente a bossa nova, o próprio Aloysio de Oliveira convidaria Nara para participar de um show que ele estava dirigindo ao lado de Edu Lobo e Tamba Trio, na boate

Zum-Zum, que de tanto sucesso no palco virou disco, *5 na Bossa*, gravado ao vivo no Teatro Paramount, em sua temporada em São Paulo. Como um reconhecimento de Aloysio de que a teimosia de Nara na verdade era visionária, ela abre o disco com uma versão bossa jazz, acompanhada pelo Tamba Trio, de "Carcará". E só canta coisas "de protesto", como "Minha história", também de João do Vale, e "Cicatriz", de Zé Kéti e Hermínio Bello de Carvalho, além de recuperar uma velha canção também de denúncia, "O trem atrasou". Edu Lobo, no show e no disco, também faz coisas nesse sentido, "Reza", com Ruy Guerra e seu refrão "africano" e "Zambi", com Vinicius, que daria o mote para o *Arena conta Zumbi*. Mesmo o Tamba Trio, influenciado por Nara e pela época, escolhe canções "engajadas" da bossa nova mesmo nos seus números, o samba de protesto "O morro não tem vez", de Tom e Vinicius, ou o afrossamba "Consolação".

Livre, Nara gravaria na Philips um punhado de discos de sucesso — um outro em 1967, por exemplo, também produzido por Aloysio, também chamado *Nara* e sem sequer uma bossa nova típica — sem abrir mão de nenhuma de suas convicções. E continuaria expressando-as.

Os militares no poder não demorariam a ser vítimas de sua liberdade de expressão quase que compulsiva. Como na entrevista que deu em 66 ao *Diário de Notícias*:

> Os militares podem entender de canhão e metralhadora. E nada pescam de política. As forças armadas não servem para nada. Nem contra uma guerrilha moderna nosso exército serviria para nada. O exército gasta muito dinheiro quando o Brasil precisa de mais escolas, professores, técnicos e hospitais. É preciso um novo governo que irá se encarregar de anistiar os cassados pelo

atual regime e punir os responsáveis pelo Golpe de 64. Quem está mandando é que deveria ser cassado.

Nara disse tudo isso e muito mais em 1966, tempo em que por muito menos deputados perdiam o mandato, estudantes apanhavam nas ruas e escritores eram presos. Quando a quiseram prender, pelo que ela havia dito, quem veio em seu socorro foi o poeta Carlos Drummond de Andrade em versos que apelavam ao então presidente usurpador, o marechal Castello Branco:

Meu honrado Marechal
Dirigente da Nação
Venho fazer-lhe um apelo
Não prenda Nara Leão
A menina disse coisas
De causar estremeção?
Pois a voz de uma garota
Abala a Revolução?
[...]
Será que ela tem na fala
Mais do que charme, canhão?
Ou pensam que, pelo nome
Em vez de Nara, é leão?
[...]

Também, como o *Opinião*, uma espécie de continuidade do trabalho do CPC, o filme *Garota de Ipanema*, dirigido por Leon Hirszman entre 66 e 67, e escrito por Vinicius de Moraes — digamos que o criador da "Garota" — e pelo cepecista de primeira hora Eduardo Coutinho, com colaboração no roteiro de Glauber Rocha, seria uma confirmação da intuição de Nara em seu primeiro disco. Ironicamente, se Nara largou a excursão aos Estados Unidos com Sérgio Mendes para não cantar "Garota de Ipanema", no filme de seus companheiros criado a partir justamente da canção ela engajou-se com alegria.

Garota de Ipanema, o filme, foi feito para ser um marco do cinema brasileiro: seria o primeiro longa-metragem em cores do Cinema Novo, e pretendia, obviamente, capitalizar o sucesso internacional da canção de Tom e Vinicius. Mas foi concebido e realizado por artistas livres e, como se dizia na época, subversivos. E o primeiro subversivo era o próprio Vinicius, que criou a Garota de Ipanema do filme menos a mulher carioca exuberante da praia da letra em inglês da canção do que uma versão, em filme, da *Pobre Menina Rica*, a peça dele estreada por Nara: uma menina burguesa melancólica, entediada com os de sua classe social e ávida por mergulhar no Brasil negro e popular que descobria nas ruas.

"Sua cor preferida é o vermelho, sobretudo o vermelho quente dos pintores. Ama a gente do povo e detesta tudo o que tem a ver com preconceitos raciais e injustiça social", descreveria Vinicius sem meios-tons, em artigo publicado na revista *O Cruzeiro*, a atriz escolhida para ser a Garota, Marcia Rodrigues, que, como Nara, era uma menina da Zona Sul ainda indecisa se se abraçava à profissão de atriz. Ela até já havia feito umas participações em curtas-metragens e um papel secundário em *El justicero*, comédia igualmente subversiva de Nelson Pereira dos Santos sobre a Zona Sul do Rio de Janeiro, que fechava a trilogia iniciada em *Rio 40 graus* e *Rio Zona Norte*.

No filme, Nara faz uma amiga da Garota vivida por Marcia (que, como Nara e a Pobre Menina Rica, mora num amplo apartamento diante do mar, mas em Ipanema, para fazer jus ao título e ao espírito). Em seu número musical, acompanhada pelo Tamba Trio na sala do tal apartamento — como se estivesse numa reunião em sua casa —, Nara canta o samba "Lamento no morro", composto por Tom e Vinicius para a peça *Orfeu da Conceição*, e até aquele momento ainda não muito conhecido. Tanto que uma das pessoas presentes à festinha no filme pergunta se aquela seria uma música nova. E, algo aborrecida, Nara responde: "Não, tem mais de dez anos. É do *Orfeu da Conceição.*"

Mais do que uma simples piada interna do filme — a juventude bossa-nova era tão alienada que não sabia sequer da sua origem ainda recente —, a presença de Nara em *Garota de Ipanema* parece insinuar uma linhagem da moderna música brasileira: a que começa em *Orfeu* e no reconhecimento da cultura negra, eclode na inventiva Bossa Nova da primeira fase e evolui para um mergulho mais profundo no Brasil das manifestações musicais diversas. Tanto que, para além evidentemente do samba-título, não há bossas clássicas na trilha originalmente composta para o filme, na qual a influência de Nara pode ser notada já no tema principal, a marcha-rancho "Noite dos mascarados", do iniciante Chico Buarque, que também participa como ator no filme, e canta uma outra composição sua de inspiração diversa da bossa nova, "Um chorinho".

Nara, e principalmente o movimento pessoal que resultou em seu primeiro disco, era o elo dessa fase da cultura e da política brasileiras, que transcendia em muito a música popular.

Nara estava vivendo como a personagem do revolucionário *Opinião*, misturando seu canto e sua fala. Em rápido retrospecto, ela já havia sido a musa da Bossa Nova, já renegara o movimento que em grande parte foi forjado nas célebres reuniões que varavam madrugadas em seu apartamento à beira-mar e já havia lançado os maiores sucessos de sambistas "de morro" como Cartola e Zé Kéti, assim como as canções de jovens como Edu Lobo e Baden Powell que rompiam com a bossa ortodoxa de amores tantos e barquinhos a deslizar; já havia, e não por acaso, encarnado a Pobre Menina Rica de Vinicius de Moraes e Carlos Lyra, a menina burguesa como ela que, por pura poesia, apaixonava-se por um Mendigo Poeta que lhe cantava lindas canções no terreno baldio ao lado; já havia revolucionado o teatro musical brasileiro ao lado de Vianinha, Ferreira Gullar e Augusto Boal e de seus colegas de palco Zé Kéti e João do Vale, inaugurando não só um novo gênero teatral, como também introduzindo na música brasileira a "canção de protesto"; já havia largado o tal musical e, por pura intuição, pediu para pôr em seu lugar uma força da natureza que conhecera pouco antes em Salvador, revelando para o mundo Maria Bethânia; já havia lançado, entre outros, compositores como Gilberto Gil, Sidney Miller e, principalmente, Chico Buarque de Holanda, o seu preferido, de quem na ocasião estava lançando uma marchinha tímida, graciosa, irônica e inteligente como ambos, "A banda".

Tornou-se uma cantora de fato popular, contra todos os prognósticos, estrela dos programas da TV Record e dos festivais, nos quais, além de ganhar em 66 com "A banda", apresentou Sidney Miller em 67 numa memorável "A estrada e o violeiro", em dueto com o autor, que ganharia o prêmio de melhor letra. Na célebre passeata em São Paulo contra a guitarra elétrica — inventada pela TV Record para promover seus programas de música brasileira —, Nara se recusou a participar o, junto com Caetano Veloso, assistiu constrangida da janela a colegas como Elis Regina e Gilberto Gil marchando na rua contra um instrumento que eles próprios usariam dali a alguns meses.

Tudo isso Nara disse e fez com menos de 24 anos. Encarou os milicos, o pai, o professor, o namorado, os músicos, o executivo da gravadora. Encarou todo mundo, feminista na prática, revolucionária de voz baixa, sorriso e boa educação.

E diria e faria muito mais. No célebre debate "Que caminhos seguir na música popular brasileira", organizado e publicado na *Revista Civilização Brasileira* em maio de 1966 — no qual Caetano Veloso lançaria o germe do Tropicalismo ao pregar que "só a retomada da linha evolutiva" faria com que a música brasileira desse "um passo à frente" como o da bossa nova alguns anos antes —, Nara apresenta-se bem mais pragmática e diz que o que falta à música brasileira na concorrência com gêneros da moda como o iê-iê-iê de Roberto Carlos é trabalho: "Toda vez que vamos a um programa de rádio nossas músicas são tocadas. Enquanto Roberto Carlos vai a todos os programas, todos os dias, o pessoal da música brasileira, talvez por comodismo, não vai. Existe até certo preconceito — quando eu vou ao programa do Chacrinha os bossa-novistas me picham, eles acham que é decadência ir a esse programa."

Fiel ao espírito do CPC, do *Opinião* e do que dizia, Nara permaneceria ávida por descobrir coisas novas, pegá-las, experimentá-las, como fizera com o samba "de morro" no primeiro disco — aberta ao novo e simulando até menos conhecimento do que de fato tinha para chegar com o espírito livre de quem descobre. Tanto que abraçaria a Tropicália lançando algumas das canções mais contundentes de Caetano e Gil ("Lindonéia", que encomendara aos dois, a partir de um quadro de Rubens Gerchman) ou Caetano e Torquato Neto ("Deus vos salve esta casa santa"). Escreveria outro artigo para abalar a revolução ("A desesperança, o desespero, a falta de perspectiva de todos nós neste momento, tudo isso é impossível de ser dito em música. A realidade está feia demais para ser cantada e celebrada", diria em 68), se exilaria em Paris, onde aprenderia a ser mãe e se reencontraria com a Bossa Nova na primeira vez em que gravaria o gênero que ajudou a criar, num disco ironicamente chamado *Dez anos depois* (o tempo de carreira que demoraria para gravar bossa nova). Antes de viajar, contudo, deixaria pronto um disco, produzido e arranjado por seu amigo Sidney Miller, *Coisas do mundo,* cheio de novidades como versões de canções de várias partes do mundo feitas por ela, e no qual gravava um samba de seu amigo de Zicartola Paulinho da Viola, *Coisas do mundo, minha nega,* cuja letra era confessional de seu espírito inquieto e curioso: "As coisas estão no mundo, só que eu preciso aprender."

Na volta do exílio realizou o velho sonho de estudar, e optou pela psicologia, para entender a própria loucura e a dos outros. Gravou tantos e tão lindos discos abarcando tudo que lhe instigava: a obra do trabalhador da música Roberto Carlos (*E que tudo mais vá pro inferno*), música nordestina (*Romance popular*), o samba novamente (*Meu samba encabulado*) e mais uma vez Chico Buarque (*Com açúcar, com afeto*), além de um pioneiro disco só de duetos, *Meus amigos são um barato.* Perto de sua morte precoce, em 1989, por um tumor cerebral, Nara retomou para valer a bossa nova em formato voz e violão (dela e de Menescal), como quem voltasse às origens, às reuniões na sala de sua casa, diante do mar. Aceitou ser, na maturidade e porque quis, uma cantora de bossa nova, inspirando a retomada do gênero a partir dali.

Mas seria, ao longo de sua carreira, uma exemplar intérprete do tipo de música que ajudou a forjar já no seu primeiro disco: a tal da Música Popular Brasileira.

Inquieta, faria filmes como atriz, o musical *Quando o carnaval chegar*, do marido, Cacá Diegues, com os amigos Chico Buarque e Maria Bethânia no elenco, e *A lira do delírio*, de Walter Lima Jr. E, indiretamente, voltaria ao teatro: encarnaria, ou melhor, daria voz no disco retirado da peça à personagem criada no palco por Marieta Severo, no que parece ser sua mais perfeita tradução e a qual tornaria imortal para crianças das gerações seguintes, a Gata de *Os Saltimbancos* — peça "comunista" italiana, adaptada por Chico Buarque para montagem brasileira —, aquela para quem "o mundo era o apartamento", mas que optou corajosamente pela rua, por passar a vida cantando em meio à gataria.

Coda

Na verdade, tanta e tão abrangente influência que *Nara* exerceria na história da música brasileira já poderia ser notada mesmo antes de seu lançamento oficial, em 27 de fevereiro de 1964. E da forma mais eloquente possível. Se a sua intuição era juntar morro e mar, preto e branco, favela e cidade, e se isso ajudasse a construir um país mais justo e mais bonito, e se isso fosse anunciado pela música brasileira, no dia 2 de fevereiro de 64, o *Jornal do Brasil* perguntava a Tom Jobim:

"O que é bossa?"

Tendo, evidentemente, ouvido o LP de Nara, que seria lançado no mesmo suplemento da Elenco do seu primeiro disco, nosso maior compositor responde, sem titubear, como que realizando a utopia:

"Só pode ser Zé Kéti."

Referências bibliográficas

Barros de Castro, Mauricio. *Zicartola, Coleção Arenas do Rio*. Rio de Janeiro: Relume Dumará, 2004.

Botezelli, J.C. (Pelão); Pereira, Arley. *A música brasileira deste século por seus autores e intérpretes — Entrevistas a Fernando Faro. Baden Powell, João do Vale e Zé Kéti*. São Paulo: Sesc, 2000.

Cabral, Sérgio. *Antônio Carlos Jobim — Uma biografia*. Rio de Janeiro: Lumiar Editora, 1997.

Cabral, Sérgio. *Nara Leão, uma biografia*. Rio de Janeiro: Lumiar Editora, 2001.

Candeia Filho, Antônio; Araújo, Isnard. *Escola de samba — Árvore que esqueceu a raiz*. Rio de Janeiro: Editora Lidador, 1978.

Cardoso, Tom. *Ninguém pode com Nara Leão — Uma biografia*. São Paulo: Planeta, 2021.

Castello, José. *Vinicius de Moraes, o poeta da paixão — Uma biografia*. São Paulo: Companhia das Letras, 1994.

Castro, Ruy. *Chega de saudade — A história e as histórias da Bossa Nova*. São Paulo, Companhia das Letras, 1990.

de Carvalho, Hermínio Bello. *Cartas cariocas para Mario de Andrade*. Rio de Janeiro: Folha Seca, 1999.

de Moraes, Vinicius. *Livro de letras*. São Paulo: Companhia das Letras, 2015.

de Moraes, Vinicius. *Para uma menina com uma flor*. Rio de Janeiro: José Olympio, 1986 (15ª edição).

de Moraes, Vinicius. *Para viver um grande amor*. Rio de Janeiro: José Olympio, 1986 (19ª edição).
de Moraes, Vinicius. *Teatro em versos* (org. Carlos Augusto Calil). São Paulo: Companhia das Letras, 1995.
Gertel, Vera. *Um gosto amargo de bala*. Rio de Janeiro: Civilização Brasileira, 2013.
Lara, Odete. *Minha jornada interior*. São Paulo: Editora Best Seller, segunda edição, 1990.
Lopes, Nei. *Zé Kéti, Coleção perfis do Rio*. Rio de Janeiro: Relume Dumará, 2000.
Maciel, Luiz Carlos; Chaves, Angela. *Eles e eu — Memórias de Ronaldo Bôscoli*. Rio de Janeiro: Nova Fronteira, 1994.
Salem, Helena. *Leon Hirszman, o navegador das estrelas*. Rio de Janeiro: Editora Rocco, 1997.
Salem, Helena. *Nelson Pereira dos Santos: O sonho possível do cinema brasileiro*. Rio de Janeiro: Editora Nova Fronteira, 1987.
Severiano, Jairo e Homem de Mello, Zuza. *A Canção no tempo — 85 anos de músicas brasileiras, Volume 2: 1958-1985*. São Paulo: Editora 34, 1998.
Sukman, Hugo. *Cancioneiro Moacir Santos — Coisas*. Rio de Janeiro: Jobim Music, 2005.
Sukman, Hugo. *Cancioneiro Moacir Santos — Ouro Negro*. Rio de Janeiro: Jobim Music, 2005.
Sukman, Hugo. *Histórias paralelas — 50 anos de música brasileira*. Rio de Janeiro: Casa da Palavra, 2011.

Entrevistas ao autor

Cacá Diegues, em agosto de 2021.
Armando Pittigliani, em agosto de 2021.

Carlos Lyra, em novembro de 2012, para a série *Hoje é dia de música*, dirigida pelo autor para a HBO.

Cesar Villela, em novembro de 2012, para a série *Hoje é dia de música*, dirigida pelo autor para a HBO.

Chico Buarque, em novembro de 2012, para a série *Hoje é dia de música*, dirigida pelo autor para a HBO.

Edu Lobo, em novembro de 2012, para a série *Hoje é dia de música*, dirigida pelo autor para a HBO.

Elton Medeiros, em novembro de 2012, para a série *Hoje é dia de música*, dirigida pelo autor para a HBO.

Hermínio Bello de Carvalho, em novembro de 2012, para a série *Hoje é dia de música*, dirigida pelo autor para a HBO.

Monarco, em 2011, para o filme *Memória de Monarco*, ainda inédito.

Roberto Menescal, em novembro de 2012, para a série *Hoje é dia de música*, dirigida pelo autor para a HBO.

Contracapas de discos

Aloysio de Oliveira para *Nara*, de Nara Leão. Rio de Janeiro: Elenco, 1964.

Aloysio de Oliveira para *Antonio Carlos Jobim* (reedição de *The Composer of Desafinado plays*), de Tom Jobim. Rio de Janeiro: Elenco, 1964.

Aloysio de Oliveira para *Baden Powell swings with Jimmy Pratt*, de Baden Powell e Jimmy Pratt. Rio de Janeiro: Elenco, 1963.

Aloysio de Oliveira para *Vinicius & Odete Lara*, de Vinicius de Moraes e Odete Lara. Rio de Janeiro: Elenco, 1963.

Hermínio Bello de Carvalho para o LP *Elizete sobe o morro*, de Elizeth Cardoso. Rio de Janeiro: Copacabana, 1965.

Lucio Rangel, para o LP *Descendo o morro nº 3*, de Roberto Silva. Rio de Janeiro: Copacabana, 1960.

Nelson Lins de Barros, para o LP *Depois do carnaval*, de Carlos Lyra. Rio de Janeiro: Philips, 1963.

Sérgio Porto, para o LP *Thelma canta Nelson Cavaquinho*, de Thelma Soares. Rio de Janeiro: CBS, 1966.

Vinicius de Moraes, para o LP *Elizete interpreta Vinicius*, de Elizeth Cardoso. Rio de Janeiro: Copacabana, 1963.

Vinicius de Moraes, para o LP — *Afro-sambas*, de Baden Powell e Vinicius de Moraes. Rio de Janeiro: Forma, 1966.

Periódicos consultados

O Globo
Jornal do Brasil
Correio da Manhã
Diário de Notícias
O Jornal
Última Hora
O Cruzeiro

Filmes

Rio 40 graus. Direção: Nelson Pereira dos Santos, 1954.
Rio Zona Norte. Direção: Nelson Pereira dos Santos, 1957.
Cinco vezes favela. Direção: Cacá Diegues; Joaquim Pedro de Andrade; Leon Hirszman; Miguel Borges; Marcos Farias, 1962.
Gimba. Direção: Flávio Rangel, 1962.
Ganga Zumba. Direção: Cacá Diegues, 1963.
Carnets du Brésil. Direção: Pierre Kast, 1966.
Nelson Cavaquinho. Direção: Leon Hirszman, 1969.

Peças de teatro

A mais-valia vai acabar, seu Edgard, de Oduvaldo Vianna Filho, 1960.
Os Azeredos mais os Benevides, de Oduvaldo Vianna Filho, 1964.
Nara — A menina disse coisas, de Marcos França e Hugo Sukman, 2018.

Outras fontes

Depoimento de Nara Leão ao Museu da Imagem e do Som do Rio de Janeiro, 1977.

Créditos das imagens
- p. 109 Acervo UH/ Folhapress
- p. 110 *Revista Cinelândia*, janeiro de 1964, p. 71
- p. 111 Arquivo O Cruzeiro/ EM/ D.A Press
- p. 112 Divulgação
- p. 113 Samuel Elyachar / Tyba
- p. 114 *Jornal do Brasil*, 21 de fevereiro de 1964, p. 13
- p. 115 Samuel Elyachar / Tyba
- p. 116 Divulgação

© Editora de Livros Cobogó, 2022

Editora-chefe
Isabel Diegues

Edição
Aïcha Barat

Gerente de produção
Melina Bial

Revisão final
Eduardo Carneiro

Capa
Radiográfico

Projeto gráfico e diagramação
Mari Taboada

Todos os esforços foram feitos para obtenção das autorizações das imagens reproduzidas neste livro. Caso ocorra alguma omissão os direitos encontram-se reservados aos seus titulares.

CIP-BRASIL. CATALOGAÇÃO-NA-FONTE
SINDICATO NACIONAL DOS EDITORES DE LIVROS, RJ

S946n Sukman, Hugo
Nara Leão : Nara - 1964 / Hugo Sukman. - 1. ed. - Rio de Janeiro : Cobogó, 2022.
224 p. ; 19 cm. (O livro do disco)

ISBN 978-65-5691-054-3

1. Leão, Nara, 1942-1989. 2. Bossa-nova - História e crítica. 3. Música popular -Brasil - História e crítica. I. Título. II. Série.

22-75639
CDD: 782.421640981
CDU: 78.011.26(81)

Camila Donis Hartmann - Bibliotecária - CRB-7/6472

Todos os direitos reservados à
Editora de Livros Cobogó Ltda.
Rua Gen. Dionísio, 53, Humaitá
Rio de Janeiro, RJ, Brasil – 22271-050
www.cobogo.com.br

O LIVRO DO DISCO

Organização: Frederico Coelho | Mauro Gaspar

The Velvet Underground | **The Velvet Underground and Nico**
Joe Harvard

Jorge Ben Jor | **A tábua de esmeralda**
Paulo da Costa e Silva

Tom Zé | **Estudando o samba**
Bernardo Oliveira

DJ Shadow | **Endtroducing...**
Eliot Wilder

O Rappa | **LadoB LadoA**
Frederico Coelho

Sonic Youth | **Daydream nation**
Matthew Stearns

Legião Urbana | **As quatro estações**
Mariano Marovatto

Joy Division | **Unknown Pleasures**
Chris Ott

Stevie Wonder | **Songs in the Key of Life**
Zeth Lundy

Jimi Hendrix | **Electric Ladyland**
John Perry

Led Zeppelin | **Led Zeppelin IV**
Erik Davis

Neil Young | **Harvest**
Sam Inglis

Beastie Boys | **Paul's Boutique**
Dan LeRoy

Gilberto Gil | **Refavela**
Maurício Barros de Castro

Nirvana | **In Utero**
Gillian G. Gaar

David Bowie | **Low**
Hugo Wilcken

Milton Nascimento e Lô Borges | **Clube da Esquina**
Paulo Thiago de Mello

Tropicália ou Panis et circensis
Pedro Duarte

Clara Nunes | **Guerreira**
Giovanna Dealtry

Chico Science e Nação Zumbi | **Da lama ao caos**
Lorena Calábria

Gang 90 & Absurdettes | **Essa tal de Gang 90 & Absurdettes**
Jorn Konijn

Dona Ivone Lara | **Sorriso negro**
Mila Burns

Racionais MC's | **Sobrevivendo no inferno**
Arthur Dantas Rocha

2022

―――――――――――

1ª impressão

Este livro foi composto em Helvetica.
Impresso pela Imos Gráfica,
sobre papel Offset 75g/m².